Geneviève East
Audrey Julien

Dérapages

Catalogage avant publication de Bibliothèque et Archives nationales du Québec et Bibliothèque et Archives Canada

East, Geneviève, 1980-

Dérapages

(Ado ; 110)
Pour les jeunes de 12 ans et plus.

ISBN 978-2-89537-406-0

I. Julien, Audrey, 1981- . II. Titre. III. Collection : Roman ado ; 110.

PS8609.A765D47 2014 jC843'.6 C2014-942118-4
PS9609.A765D47 2014

Nous remercions le Conseil des Arts du Canada de l'aide accordée à notre programme de publication. Nous reconnaissons l'aide financière du gouvernement du Canada par l'entremise du Fonds du livre du Canada pour nos activités d'édition. Nous remercions également la Société de développement des entreprises culturelles, la Ville de Gatineau ainsi que le CLD Gatineau de leur appui.

Dépôt légal - Bibliothèque et Archives nationales du Québec, 2014
Bibliothèque et Archives Canada, 2014

Révision : Raymond Savard
Correction d'épreuves : Renée Labat

Éditions Vents d'Ouest
109, rue Wright, bureau 202
Gatineau (Québec) J8X 2G7
Courriel : info@ventsdouest.ca
Site Internet : www.ventsdouest.ca

Diffusion Canada : PROLOGUE INC.
Téléphone : 450 434-0306
Télécopieur : 450 434-2627

Diffusion en France : Distribution du Nouveau Monde (DNM)
Téléphone : 01 43 54 49 02
Télécopieur : 01 43 54 39 15

La collection « Ado »
est dirigée par Michel Lavoie

Dérapages

Les auteures

Geneviève East est née à Rouyn-Noranda en 1980. Elle a complété ses études collégiales en lettres au cégep de l'Abitibi-Témiscamingue. Après des études universitaires à Québec, elle s'est établie avec sa famille dans la grande région métropolitaine. Elle enseigne le français au premier cycle du secondaire à Laval depuis 2004.

Audrey Julien est née en 1981. Après des études au cégep Montmorency, elle entreprend différents baccalauréats universitaires à l'UQAM avant de découvrir sa véritable voie. Elle enseigne aujourd'hui le français au premier cycle du secondaire, à Laval, la ville qui l'a vue grandir et où s'épanouissent maintenant ses propres enfants.

Leur premier roman en collaboration, *30 jours*, a fait partie de la sélection de Communication-Jeunesse.

Bibliographie

En chute libre, Gatineau, Vents d'Ouest, 2013.
30 jours, Gatineau, Vents d'Ouest, 2012.

N'est-ce pas le destin des âmes
qui s'aiment que de se déchirer?

Gilbert LANGLOIS

Tout amour, toute amitié sincère
est une histoire de transformation inattendue.
Si nous sommes la même personne
avant et après avoir aimé,
cela signifie que
nous n'avons pas suffisamment aimé.

Elif SAFAK

Pour Mélanie et Maryse,
deux battantes,
deux modèles de courage.

On vous aime.

Audrey et Geneviève

Remerciements

Merci à la Société canadienne du cancer pour sa grande disponibilité. Son personnel a généreusement répondu à nos questions et il est toujours présent pour les victimes directes ou indirectes du cancer.

Bravo à tous les gens qui œuvrent dans les centres de cancérologie. Merci pour votre bienveillance, votre accueil et votre chaleur.

Merci à Presse Café de Sainte-Dorothée qui a été notre mine d'informations sur les différentes tâches reliées à la restauration.

Chapitre premier

Introspection

– VOILÀ ! C'est tout pour aujourd'hui. Si vous avez des questions, je serai disponible pendant les quinze prochaines minutes.

Un soupir m'échappa. Terminé ! Enfin ! Pressée de fuir cette salle de classe étouffante, je pris rapidement mes stylos éparpillés pour les enfoncer dans mon étui à crayons.

– N'oubliez pas de terminer la lecture des trois premiers chapitres du manuel. N'attendez pas à la dernière minute ! On parle d'une trentaine de pages.

Pendant quelques secondes, je fixai mon professeur. Des lectures ? Quelles lectures ?

Une vague inquiétude s'empara de moi. Je pris le plan de cours dans mon cartable, je consultai fébrilement la page des travaux et des examens. Je la relus deux fois, puis j'ouvris mon agenda. Malheureusement, c'était ce que je redoutais : j'avais complètement oublié l'évaluation de lundi prochain. Il ne me restait plus qu'une semaine pour me préparer.

Découragée, je repoussai un peu trop brusquement ma chaise qui heurta la table de travail, me surprenant moi-même. Ma voisine de droite se retourna, les sourcils relevés. Je baissai les yeux, gênée de cet accès d'humeur.

Trois heures. Trois heures que j'écoutais cet enseignant hypermotivé me parler de géopolitique avec passion. Tout le monde paraissait fasciné par ce qu'il racontait et décrivait avec moult détails et anecdotes. Tout le monde sauf moi. J'aurais voulu succomber aussi, mais je n'y arrivais pas.

Ce n'était pas sa faute puisqu'il avait tout pour nous plaire : il était drôle, sympathique, à l'écoute des élèves et bon pédagogue. Il nous demandait même de le tutoyer. Ce n'était pas non plus à cause de la matière, puisque les thèmes abordés étaient toujours intéressants. Bref, tout cela aurait dû suffire à me contenter.

J'en étais à ces réflexions lorsque le même malaise qui me troublait depuis quelque temps revint insidieusement m'habiter. C'était comme si ma tête se retrouvait dans un étau et qu'une lourdeur pesait subitement sur mes épaules. Ce phénomène se produisait presque chaque jour. Il n'y avait que la fin de semaine où j'en étais épargnée.

Je ne détestais pourtant pas le cégep, loin de là. J'aimais ce sentiment de liberté que l'horaire me procurait et les discussions plus mûres que les lectures suscitaient.

Non, le véritable problème, c'était moi.

Tellement d'événements s'étaient produits au cours de la dernière demi-année. J'avais décidé de mon orientation postsecondaire avant d'apprendre que ma mère souffrait du cancer, de la perdre à jamais, de me rebeller contre la vie et de rencontrer Nico.

Oui, bien de l'eau avait coulé sous les ponts depuis.

Il y a quelques mois encore, j'étais une jeune fille timide, studieuse et calme. J'aspirais à une vie rangée et je me voyais devenir psychologue, sociologue ou anthropologue. Même si je n'avais pas de plan de carrière bien défini, je désirais étudier, apprendre, juste pour le plaisir d'enrichir mes connaissances. Je me destinais à de longues études et m'octroyais le droit d'aborder plusieurs secteurs des sciences humaines. J'avais la vie devant moi et mes parents me soutenaient dans mes choix.

Mais la mort avait cruellement frappé. Mes intérêts et mes ambitions s'étaient modifiés. Dorénavant, je ne voulais plus apprendre pour apprendre. J'avais envie d'être utile, pratique. Je voulais du concret et du palpable.

Toute à mes réflexions, je passai devant la file d'élèves qui attendaient de questionner le professeur et me précipitai dans le corridor.

– Eh ! Attention ! cria soudain un garçon à ma gauche.

Avant de comprendre ce qui se passait, il me poussa et j'évitai de justesse un chariot qui roulait dans ma direction. Prenant conscience de ce qui aurait pu se produire, mon cœur s'emballa dans ma poitrine.

–Désolée, s'excusa immédiatement une femme dans la quarantaine en arrêtant le chariot avec difficulté. C'est vraiment très lourd, je ne peux pas freiner facilement.

Puis, elle repartit avec son chargement en tentant de se frayer un passage parmi tous ceux qui circulaient.

Je me tournai vers celui qui m'avait évité une belle ecchymose à la hanche.

–Merci.

–Pas de quoi, fit-il en souriant.

J'étais sûre de l'avoir déjà vu. Peut-être assistait-il à l'un de mes cours ?

Avant que j'aie pu l'interroger, il leva la main en guise de salutation et rejoignit un groupe de ses amis. Pour ma part, je restai quelques secondes le dos au mur pour me calmer. Voilà ce qui arrivait quand on avait la tête ailleurs !

Après avoir repris mes esprits, je me rendis à mon casier pour y récupérer mon manteau et filai attraper mon autobus. Quelques minutes plus tard, je me laissai tomber sur l'un des sièges du fond.

Tout en observant les rues déjà plongées dans l'ombre de ce soir d'octobre, je me remémorai les derniers mois que j'avais vécus. J'avais été si perdue lorsque ma mère nous avait quittés ! Que de mauvais choix j'avais faits ! Dans ma quête de liberté, j'avais blessé tant de gens autour de moi.

J'avais cru que la meilleure façon de me protéger était de ne plus avoir d'attache, de m'éloigner de ceux que j'aimais. Non seulement mon frère et mon père en avaient subi les conséquences, mais j'avais tout fait pour repousser Marilou, ma meilleure amie. Heureusement, elle m'avait tenu tête. Je ne la remercierai jamais assez pour sa grande fidélité.

Par chance, à cette époque, j'avais aussi rencontré Nico. Celui qui, au départ, ne devait être que l'un de mes « mauvais plans » s'était plutôt avéré un important allié dans ma reconstruction personnelle.

Je souris. Tout avait commencé d'une manière tordue avec Nico. Nous nous étions rencontrés dans une fête et avions été irrésistiblement attirés l'un vers l'autre. Quelques heures après, nous étions au lit. Il était mon premier.

Oui, tout avait commencé bizarrement pour nous. Nous avions couché ensemble, j'étais devenue enceinte et je m'étais fait avorter. Pendant tout ce temps, nous ne formions même pas un vrai couple. Aussi, lorsque Nico m'avait suggéré de tout reprendre depuis le début, j'avais accepté, surprise qu'il ne voie pas cette épreuve comme une ombre entre nous.

Voilà deux mois maintenant que nous sortions ensemble. Nous nous permettions des baisers, des caresses, mais notre intimité s'arrêtait là. Depuis cette fameuse nuit où je m'étais donnée à lui, nous n'avions pas refait l'amour. Nous voulions mieux nous connaître avant. Nous avions besoin de savoir si c'était l'amour qui nous liait et non pas une simple attirance physique. Même si j'avais une envie folle de lui et que je sentais le même désir de son côté, nous nous en tenions à notre entente. Heureusement, elle avait une échéance : ce samedi. Nous nous étions promis de laisser libre cours à notre passion. J'en tremblais juste à y penser. J'avais tellement de fois imaginé ces retrouvailles de nos corps que je savais que ça ne pouvait être qu'explosif !

Apercevant mon arrêt, j'avertis le conducteur de mon intention de descendre, puis sortis dans l'air frais. Je respirai à pleins poumons les odeurs automnales portées par le vent. J'avais toujours aimé cette saison. Ma mère aussi.

En arrivant à la maison, je fus témoin d'une scène de plus en plus fréquente. Mon père, rouge comme une pivoine, semblait irrité contre mon frère. Charles, de son côté, affichait un air désintéressé, tout en zappant les chaînes de télévision.

–Tu ne peux pas continuer comme ça ! Cesse de traîner ton air bête dans la maison et bouge-toi ! Les sacs t'attendent devant la porte !

La collecte des poubelles avait lieu le lendemain matin et, une fois de plus, mon frère s'obstinait avec notre paternel à ce sujet.

–Je ne vois pas pourquoi ce serait à moi de sortir tes vidanges, rétorqua Charles. Tu n'arrêtes pas de me le répéter : c'est *ta* maison, alors ce sont *tes* sacs.

Je soupirai devant ce triste spectacle. Mon frère avait tellement changé ces dernières semaines. Où était passé ce garçon sensible dont je m'étais rapprochée à la fin de l'été ?

Notre père, de plus en plus furieux, arracha la télécommande des mains de Charles. Ce dernier, pas le moins du monde dérangé, se leva lentement pour le faire enrager davantage et monta s'enfermer dans sa chambre.

– Ça va, papa ? osai-je demander.

Il se tourna vers moi, haussa les épaules et disparut dans la cuisine.

Chapitre II

Un bon tuyau

– QU'EST-CE QUE tu fais? me demanda Marilou en déposant son plateau devant le mien.

Trop concentrée sur ma lecture, j'avais laissé ma poutine en plan au coin de la table. En y jetant un œil, je constatai que le plat de styromousse servait maintenant à empêcher la bouillie informe de se répandre partout. Je devrais me résoudre à avaler des frites détrempées et froides. Bah! Avec ce que cuisinait mon paternel, je retrouvais ici une texture presque familière. Il fallait cependant avouer que ses talents culinaires s'étaient améliorés depuis qu'il suivait un cours le jeudi soir.

– Je cherche un nouvel emploi dans les petites annonces, répondis-je avant d'attaquer mon dîner.

Le visage surpris, Marilou observa ce que j'étais en train d'ingurgiter.

– Depuis quand tu avales de la malbouffe, toi?

– Depuis que c'est moins cher que le menu santé. Et tu pourrais avoir un peu de compassion ! Je viens de subir trois heures de philosophie, j'ai bien droit à une récompense, me défendis-je en avalant une nouvelle bouchée.

–Eh bien ! au moins, tu n'auras pas que la peau sur les os ! Tu cherches quel genre de travail ? demanda-t-elle.

–Je ne sais pas, mais quelque chose de mieux que ce qu'il y a là-dedans ! m'énervai-je en froissant le journal. Il n'y a que de la distribution de circulaires et de la vente par téléphone. Rien d'excitant. Je voudrais faire quelque chose d'utile, d'important...

–Je suis désolé de vous interrompre, mais je n'ai pas pu m'empêcher d'entendre votre conversation.

Un élève de la table voisine s'était penché vers nous. Son visage ne m'était pas étranger. Ses cheveux plutôt courts, bruns et ondulés, s'harmonisaient parfaitement à ses traits latino-américains. Sa peau mate, son air jovial et la carrure de ses épaules me présentaient l'image d'un garçon charmant. Où l'avais-je croisé ? C'était comme avoir une réponse sur le bout de la langue et ne pas la trouver.

–J'ai cru comprendre que tu cherchais un emploi ? enchaîna-t-il. Il y a un petit café où je traîne à l'occasion. J'ai vu une affiche sur la porte ; le propriétaire cherche des employés. Je te donne l'adresse, si tu veux.

–Bien sûr, m'empressai-je d'accepter.

Il se leva et montra mon étui à crayons.

–Je peux? s'enquit-il.

Je fis oui de la tête. Il saisit un de mes stylos et griffonna l'adresse du café au coin d'une page du journal. À ce moment, son odeur atteignit mes narines et je sus que je connaissais ce parfum.

–On s'est déjà rencontrés? demandai-je.

–Plus ou moins. Je suis assis derrière toi au cours de méthode quantitative. Je m'appelle Luis, ajouta-t-il en me tendant sa main, un large sourire aux lèvres.

C'est à ce moment précis que je le reconnus.

Je me levai et tendis la main à ce garçon qui m'avait permis d'éviter le chariot trois jours plus tôt. Il la prit dans la sienne, qui était chaude et douce comme sa voix.

–Elle, c'est Laurianne, ajouta Marilou à ma place, pour participer à la conversation.

–En tout cas, j'espère que tu décrocheras cet emploi, Laurianne, termina-t-il en lâchant mes doigts.

–Merci, c'est gentil.

Je me rassis alors que Luis s'éloignait. Marilou siffla.

–Wow! Ce n'est pas moi qui ai la chance d'avoir de beaux spécimens comme lui dans mes cours!

C'était l'un des avantages de ne pas fréquenter le même cégep que nos copains; nous pouvions discuter entre filles sans retenue.

–Comme si Nico et Jérémie n'étaient pas des bombes ! Et puis, Luis, je le trouve… correct, sans plus. Nous suivons le même cours depuis des semaines et je n'avais même pas noté sa présence, alors…

–Eh bien ! tu dois vraiment voir Nico dans ta soupe pour ne pas avoir remarqué le beau latino… Et tu imagines si tu décroches l'emploi ? Tu lui en devras une.

–Tu exagères ! Tu sais, il y a des gens qui aiment rendre service aux autres sans rien attendre en retour.

–Ce que tu peux être naïve parfois, Lauri ! C'en est désolant ! Et puis, tu disais tout à l'heure que tu voulais un emploi où tu te sentirais utile. Qu'est-ce que tu vas faire dans un café ? Tu vas regarder chaque client en espérant qu'il s'étouffe avec son sandwich pour que tu puisses le réanimer ? s'esclaffa Marilou.

–Non, idiote ! Je sauverai le monde un café à la fois, tiens !

Je m'informai ensuite des cours de mon amie. À ces moments-là, elle devenait excitée comme une puce. Elle me racontait dans les menus détails tout ce qu'elle faisait et apprenait. Il y avait un tel enthousiasme dans sa façon de parler. Je l'enviais.

J'étais si loin de son optimisme quant à l'avenir ! Même si j'avais retrouvé un certain équilibre après mes folies des derniers mois, je n'étais pas parvenue à renouer avec mon ancien moi. J'en étais à l'étape de me reconstruire en établissant des fondations solides, comme Marilou, et des nouveautés, comme Nico. On verrait bien ce que cela donnerait. Une Laurianne version 2.0.

– En tout cas, tu vas être occupée ! lançai-je, en apprenant tous les travaux qu'elle devait remettre.

– Oui, insista Marilou. La mi-session approche et on va se retrouver ensevelies sous les devoirs.

– Justement ! On devrait en profiter pour se détendre avant d'être débordées. Anthony m'a téléphoné hier soir pour m'inviter à une soirée la semaine prochaine.

– Chez lui ? Ses parents partent encore en voyage ? s'étonna-t-elle.

– Non. C'est un de ses voisins qui reçoit, je ne me souviens plus de son nom. Je crois qu'il fréquente un cégep privé. Tu veux y aller ?

– J'en parle à Jérémie et je t'appelle. Au fait, comment tu fais pour être aussi détendue et ne plus penser aux cours ?

Si j'avais été tout à fait honnête avec elle, je lui aurais dit que même si j'avais l'air bien, c'était la pagaille dans ma tête. Bien sûr que je voulais réussir mes cours. Même dans les pires moments de ma vie, j'avais maintenu une bonne moyenne partout. Mais maintenant, je ne cessais de me demander ce que j'allais bien pouvoir faire avec un DEC en sciences humaines. « Peu importe, toutes les portes seront ouvertes ! » me répondrait Marilou avec sa capacité à voir toujours le bon côté des choses. Belle façon de dire que rien de concret ne s'offrait à moi !

–Mais oui ! s'exclama-t-elle, certaine d'avoir deviné. Tu as déjà la tête à Québec, toi ! Tu pars demain ou samedi ?

–Demain soir. Nico termine ses cours en fin d'après-midi.

–Zut ! pesta-t-elle en regardant sa montre. Si je suis en retard, je n'aurai pas le droit d'entrer en classe. Je te laisse. Tu peux rapporter mon plateau ? Merci et bon cours ! dit-elle sans attendre ma réponse.

Pour ma part, je n'avais pas d'arrêt à faire à mon casier et mon local était tout près. Je débarrassai donc la table et me rendis au cours. Il restait quelques minutes. Je m'installai pour réviser mes notes de la semaine dernière. Lentement, les élèves commencèrent à entrer les uns après les autres. C'est alors que je sentis l'odeur de Luis. J'attendis qu'il soit installé derrière moi pour me tourner et le saluer brièvement. Il me gratifia d'un de ses sourires éclatants, alors que l'enseignant ouvrait un fichier pour le projeter à l'écran.

Le cours débuta, mais je n'étais pas concentrée. Mon don en mathématiques m'évitait d'avoir à accorder une attention soutenue à la matière, ce qui laissait libre cours à mes torrents intérieurs. Saurais-je un jour qui j'étais, ce que je voulais, ce que je valais ?

⁂

Après mon cours, j'envoyai un message texte à mon père pour le prévenir que je ne viendrais pas souper. Je devais me rendre dans le café suggéré par Luis pour trouver du travail. Mon père me félicita de cette démarche et me souhaita bonne chance. Il me rappela qu'il ne serait pas là à mon retour à cause de son cours de cuisine.

Je m'informai de l'itinéraire à emprunter et fus heureuse d'apprendre que je n'aurais aucune correspondance d'autobus à effectuer, même de la maison.

Après un trajet de quelques minutes à peine, je débarquai à un coin de rue du café. Dès que j'y fis mon entrée, je pus apprécier les couleurs qui mariaient coquille d'œuf, moka et bourgogne. On y voyait des tables pourvues de chaises et de banquettes. Plusieurs clients travaillaient devant leur ordinateur portable, créant un enchevêtrement de fils sur la céramique. D'autres étaient assis les uns face aux autres, mais s'ignoraient, davantage occupés par leur téléphone cellulaire.

Je me rendis au comptoir pour commander un café et voir les prix. Tout avait l'air délicieux, mais un peu cher peut-être. C'était quand même abordable. Je choisis une banquette pour deux et sortis mes livres. Cependant, je n'avais pas du tout l'intention de potasser mes cours. Je voulais évaluer l'ambiance, le type de clients qui fréquentaient ce café. Avant de remplir une demande d'emploi, je voulais savoir à quel type de restaurant j'avais affaire.

Au bout d'une heure, aucun client insatisfait n'était venu se plaindre et les employés ne semblaient pas trop débordés ni ennuyés. Tout augurait bien. J'allai au comptoir et demandai à parler au gérant. Je lui dis que l'emploi annoncé m'intéressait. Il accepta de me faire passer une entrevue le mardi suivant. Après avoir rangé le formulaire que je devais remplir, je le remerciai et retournai dehors pour attendre mon autobus. Je ne savais pas si mon imagination me jouait des tours, mais je pensais lui avoir fait bonne impression.

❋

–Papa, tu es là ? criai-je de l'entrée.

–Non, me répondit mon frère Charles de la cuisine. Il n'y a que moi.

–Pourquoi la voiture est devant la maison alors ? m'étonnai-je.

–Covoiturage. Quelqu'un est venu le chercher tout de suite après le souper.

–Ah bon ? Notre père a de nouveaux amis ? On aura tout vu ! Tu as fait tes devoirs ?

–Tu n'es pas ma mère à ce que je sache ! rouspéta-t-il, de mauvaise humeur.

–Calme-toi ! Je faisais la conversation, c'est tout.

Charles disparut dans sa chambre. Je m'installai au comptoir-lunch pour m'atteler à mes travaux de session, mais le cœur n'y était pas. Quand j'en eus assez de relire les mêmes lignes sans arriver à me concentrer, je laissai tout de côté et m'installai au salon pour m'engourdir le cerveau avec des émissions débiles.

Après avoir regardé un film et deux comédies de situation américaines qui m'avaient à peine fait sourire, je consultai ma montre: 22h25. Où était donc mon père? Je me levai pour aller éteindre la lumière de la cuisine et me coucher. Pendant que je prenais mes livres sur le comptoir, j'entendis la porte s'ouvrir. Des éclats de rire me parvinrent. Surprise, je gagnai l'entrée et découvris à côté de mon père une femme élégante, aux longs cheveux bruns parfaitement lisses. Je devais avoir la tête d'un poisson qui était resté trop longtemps hors de l'eau, parce qu'il me dit:

–Ne reste pas plantée comme ça, Laurianne. Viens que je te présente. Gwen suit le cours de cuisine avec moi et on va voyager ensemble le jeudi soir.

–Gwen? que je répétai, un peu sonnée.

–Eh bien! En fait, elle s'appelle Gwendoline, mais elle préfère Gwen.

–Salut, Laurianne.

L'ignorant royalement, je m'adressai à mon père.

–Et ton amie, Gwen... doline..., elle a l'intention de rester prendre un verre? demandai-je d'un air revêche.

– Non, non, balbutia mon père. Peut-être pas ce soir. On se revoit la semaine prochaine, Gwen ?

Elle acquiesça et eut un mouvement vers mon père, comme si elle voulait l'étreindre ou l'embrasser, mais mon visage peu avenant lui fit suspendre son geste. Elle me sourit maladroitement.

– À la prochaine, Laurianne. Ça m'a fait plaisir de te rencontrer.

– Moi aussi, Gwendoline, dis-je sèchement.

– Tu peux m'appeler Gwen comme tout le monde, si tu veux. J'aime mieux.

– Et moi, je préfère *vraiment* Gwendoline, ajoutai-je avec insistance.

Résignée, elle murmura un « À la semaine prochaine, André » avant de sortir. Déçu, mon père me fit face, mais il ne perçut que ma froideur. Je n'ajoutai rien et montai l'escalier. Songeait-il déjà à remplacer ma mère ? Cette pensée m'écorcha le cœur et m'empêcha de dormir jusqu'à tard dans la nuit.

Chapitre III

Québec *bis*

– SALUT ma belle ! Entre !

Je saluai Chantal et franchis le seuil de cette maison chaleureuse qui m'avait maintes fois accueillie ces deux derniers mois. Partout, des photos agrémentaient la décoration : Nico et son frère Antoine se partageant un énorme sundae, Nico lors de son entrée à la maternelle, Antoine devant sa première voiture, leurs parents main dans la main sur une plage du Mexique. En somme, tout concourait à présenter une famille unie.

Comme la mienne, avant…

– J'ai préparé des carrés au chocolat. Tu en veux ?

L'eau à la bouche, j'acceptai. Les desserts de la mère de Nico étaient toujours moelleux et sucrés à la perfection. Ils me faisaient penser à ceux que cuisinait la mienne. Beaucoup de leurs recettes étaient similaires. Je retrouvais un peu de mon ancienne vie entre ces murs.

– Comment ça se passe au cégep ? Tu aimes tes cours ?

Même si ce n'était pas le cas, j'acquiesçai vivement et me concentrai sur mon carré au chocolat. Je n'avais pas envie de raconter des mensonges. Je me sentais proche de cette femme. Je m'étais rapidement attachée à elle. Dès notre première rencontre, elle m'avait prise sous son aile, comme un petit oiseau blessé. Je m'étais empressée de me réfugier au sein de son réconfort maternel.

Cependant, pour une raison inexplicable, j'avais soudain peur de son jugement. Elle me trouvait forte d'être demeurée à l'école, malgré les épreuves que j'avais vécues. Je n'avais pas envie de voir de la déception dans son regard. Je voulais qu'elle continue de penser à moi comme à cette élève courageuse qui voulait réussir. En lui avouant mes doutes, c'aurait été comme si j'acceptais le vide qui s'ouvrait devant moi.

Peu convaincue, Chantal me fixait avec sollicitude.

–Je vois bien que quelque chose te tracasse, Laurianne. Quand tu seras prête, je serai là pour t'écouter. En attendant, va rejoindre Nico. Il termine ses bagages. Il doit se demander ce que tu attends.

Émue de constater qu'une fois encore elle lisait en moi comme dans un livre ouvert, je l'embrassai sur la joue et montai les marches quatre à quatre.

En arrivant devant la porte de la chambre, je m'arrêtai net, saisie par le spectacle qui s'offrait à moi. Penché au-dessus d'un tiroir, le jeans bas sur les hanches et le torse nu, Nico sortait un t-shirt. Cette image était si séduisante que des frissons montèrent instantanément le long de ma colonne vertébrale et qu'une pulsation naquit dans mon ventre. J'expirai bruyamment.

Il se retourna. En découvrant mon regard, il me sourit malicieusement et s'avança tel un fauve sur sa proie. Je lui en voulus de jouer ainsi avec moi. Je connaissais les termes de notre entente et je savais qu'il ne négocierait pas. Pour le tester, je l'embrassai passionnément, y mettant toute la sensualité que je m'étais découverte avec lui. Lorsque sa respiration s'accéléra, comme je m'y attendais, il me repoussa.

–Laurianne, murmura-t-il d'un air de reproche en me tenant par les bras, si tu continues, je ne pourrai plus m'arrêter. On s'est promis...

Je soupirai. C'était vrai. Pas avant demain. C'était le délai. Maintenant, à une journée à peine de la date déterminée, il me semblait que ce n'était pas si grave de tricher un peu.

Cependant, Nico était honnête et il tenait à ses principes, contrairement à ce que j'avais pensé en le voyant la première fois. Avec ses cheveux en bataille et ses mèches sur les yeux, il avait un air rebelle que démentait tout le sérieux de sa personnalité. Je savais donc qu'il ne fléchirait pas. En plus, j'étais convaincue que cette attente contribuait à l'exciter. Nico aimait bien courir après ce qu'on lui refusait. C'était même ainsi que notre histoire d'amour avait commencé.

–Allez, fis-je d'un ton résigné, on doit se dépêcher si on ne veut pas arriver trop tard. L'auto de mon père est garée devant le garage. Tu peux aller déposer ta valise.

À ce moment-là, son téléphone vibra. C'était Jason, le seul de ses amis que je n'aimais pas. Je dus faire une grimace involontaire, car Nico leva les yeux au ciel et me lança :

–J'en ai pour une minute. Passe devant, j'arrive.

Du coin de l'œil, je le vis clairement reluquer mon derrière. Je m'adoucis. J'aurais bientôt Nico à moi seule. L'attente jusqu'à demain n'allait pas être de tout repos !

❋

En me garant dans le stationnement de l'hôtel, je fus prise d'un frisson d'angoisse. On y était. D'ici quelques heures, Nico et moi aurions fait l'amour pour la deuxième fois. Contrairement au printemps précédent, nous étions préparés. Je prenais maintenant la pilule et Nico avait acheté des condoms. Tout était donc dans l'ordre. Il n'était pas question de revivre l'épisode embryon !

En repensant au bébé que j'avais porté quelque temps, j'eus un pincement au cœur. Je ne regrettais pas mon choix, mais parfois, je me prenais à imaginer de quoi aurait eu l'air mon enfant. Chaque fois que cette idée me traversait l'esprit, je la chassais vivement, refusant de me laisser entraîner sur cette voie.

– Tu viens ? me demanda Nico qui m'attendait déjà, une valise à chaque main.

Nous nous dirigeâmes vers l'entrée de l'hôtel d'un pas décidé, moi traînant simplement mon sac à main pendant que lui s'échinait à jouer les mulets. J'aurais pu lui offrir mon aide, mais je savais qu'il l'aurait vu comme un défi à sa force.

À la réception, nous fîmes la queue. Pour une raison obscure, il y avait pas mal de monde ce soir-là. J'espérais secrètement que nos voisins de chambre seraient discrets. Je n'avais vraiment pas envie de partager les deux nuits à venir avec des fêtards qui ruineraient à coup sûr notre fin de semaine d'amoureux.

Une fois nos clés magnétiques en main, nous nous rendîmes à l'ascenseur en silence. Un certain malaise semblait nous habiter. Était-ce parce que nous redoutions d'être capables d'attendre jusqu'au lendemain ou parce qu'après tout ce temps, nous avions peur de ne pas être à la hauteur des attentes de l'autre ? Quoi qu'il en soit, j'accueillis avec plaisir la musique de fond de la cabine.

Au troisième étage, l'ascenseur s'arrêta. Comme nous nous précipitions en même temps pour sortir, nous fonçâmes l'un dans l'autre. Nico me jeta un regard de biais et je fis de même. Sans prévenir, nous éclatâmes de rire. La tension s'allégea et, un sourire aux lèvres, j'ouvris la porte de la chambre 312.

Nos valises furent rapidement défaites. Malgré la nervosité qui m'habitait, une fatigue intense s'empara de moi. Je tentai d'en cacher les signes à Nico. Je ne voulais pas avoir l'air rabat-joie, mais il surprit l'un de mes innombrables bâillements.

–Allez ! Au lit ! dit-il avec sérieux. Une grosse journée nous attend demain.

Je soupirai. J'avais espéré qu'il change d'avis.

–Tu ne pourrais pas agir comme les autres gars de ton âge parfois ! N'importe qui dans ta situation en profiterait !

Il parut un instant dérouté par mon commentaire.

–C'est un reproche ?

Je le rassurai aussitôt.

–Non ! En fait, c'est parfait que tu sois raisonnable pour nous deux. Tu as raison, ce soir, nous sommes trop épuisés. Demain, ce sera encore meilleur.

Je l'embrassai avant de disparaître dans la salle de bain pour me brosser les dents. Je libérai ensuite la pièce pour le laisser se préparer. Pendant ce temps, j'enfilai une nuisette que j'avais achetée tout spécialement pour l'occasion. J'espérais ainsi lui donner toute une gamme de frissons !

Lorsque, simplement vêtu d'un boxer, il se glissa à mes côtés entre les draps, j'avalai difficilement ma salive. Ma bouche s'était asséchée et je toussai avant de parler.

– Tes pieds sont froids.

Il rigola et fit exprès de les frotter contre mes mollets. Ce faisant, il remarqua mes jambes nues. Ses doigts remontèrent lentement sur mes cuisses et je retins mon souffle, ne sachant si je devais l'arrêter ou le laisser continuer. Je l'entendis finalement inspirer profondément.

– J'ai l'impression que demain est bien trop loin !

Il se pressa contre moi, mais déposa ses mains sur mes bras dans une position nettement trop sage à mon goût.

– Allez, ferme les yeux, parce que demain je ne te laisserai pas dormir. C'est une promesse !

Impatiente, je tremblai en y pensant. Vivement que le jour se lève !

❋

– Allez Nico ! Dépêche-toi ! On va être en retard !

Il grogna, la tête enfouie sous les couvertures. Je le poussai un peu plus rudement. Il répliqua en me saisissant le poignet et en roulant sur moi.

– Tu parais bien pressée tout à coup, me murmura-t-il en couvrant mon cou de baisers. Je te rappelle qu'on est samedi...

Un éclat de rire m'échappa alors que ses mains effleuraient mes côtes. J'avais toujours été chatouilleuse à cet endroit.

– Pas maintenant ! Tu sais bien que ma tante nous attend chez elle pour 11 heures ! Il ne nous reste plus beaucoup de temps !

Déçu, il me lâcha et se redressa dans le lit.

– J'aimerais bien que tu m'expliques pourquoi on dîne avec elle, soupira-t-il. Je pensais que ces deux jours nous appartiendraient. Et on est samedi, ce qui veut dire que…

Il se glissa vers moi et recommença à me bécoter. Je me dégageai à regret.

– Arrête ! C'est à ton tour d'être patient ! La dernière fois que ma tante m'a vue, c'est quand j'ai fugué. Elle s'est tellement inquiétée pour moi et c'est la moindre des choses que j'aille lui rendre visite.

Je m'enfermai dans la salle de bain pour me doucher.

Le trajet fut très court et nous ne parlâmes pas beaucoup. Nico ne me lâcha pas une seconde, caressant mon genou, effleurant mon cou, comme pour me punir d'avoir planifié ce dîner. Arrivés à destination, sa tactique s'était avérée efficace puisque je n'avais plus qu'une envie : faire demi-tour !

Ma tante nous ouvrit avec un réel bonheur. Elle se souvenait très bien de Nico. Elle était contente de le revoir dans un contexte plus agréable que celui qui nous avait amenés chez elle l'été dernier. Elle nous servit un potage maison plus que succulent, mais j'y touchai à peine, trop énervée par ce qui suivrait, de retour à l'hôtel.

Une fois le repas terminé, ma tante nous obligea à goûter à son fameux gâteau aux bananes. Même si j'étais heureuse de passer du temps avec elle, je ne pouvais m'empêcher de regarder ma montre toutes les dix minutes. Nico semblait de plus en plus agité lui aussi. Il se trémoussait sur le canapé, à quelques centimètres de moi, et plongeait sans arrêt les yeux dans mon décolleté.

Deux heures et demie plus tard, je garai de nouveau la voiture dans le stationnement de l'hôtel. J'avais chaud malgré le refroidissement des derniers jours. Nico était à mes côtés, les yeux dévorant de désir, et c'aurait pu être pareil pour moi si l'anxiété ne m'avait gagnée. Je voulais tellement me retrouver dans ses bras, approfondir les sensations qu'il m'avait fait découvrir la première fois, mais tout à coup, je paniquai. Je n'étais plus si sûre de moi, de lui. Je savais qu'à partir de ce soir, tout serait plus officiel, que nous aurions une vraie relation de couple, sérieuse et qui pourrait nous mener plus loin. Ça m'effrayait. Je ne savais plus très bien où se situait la limite entre mes sentiments et mes désirs, entre l'amour et la convoitise.

Au moment où je me posais toutes ces questions, Nico me saisit la main pour m'entraîner vers l'hôtel. À son contact, mes doutes s'envolèrent. Que de bêtises je pouvais remuer dans ma tête ! Bien sûr que je l'aimais ! Et maintenant, je n'avais plus qu'un objectif : le sentir tout contre moi.

Sentant peut-être renaître mon intérêt, il hâta le pas et m'entraîna rapidement devant notre porte. Il n'attendit même pas que j'aie terminé de l'ouvrir pour me pousser contre le battant et m'embrasser avec passion. Je fis comme lui. Une fois à l'intérieur, nous nous déshabillâmes dans une hâte semblable à celle qui nous avait étreints le soir de la fête, mais, cette fois, il ne nous resta plus aucun vêtement sur le dos.

Ses caresses se faisaient tour à tour tendres et passionnées, aériennes et généreuses. Il semblait vouloir prendre plaisir à me découvrir, mais en même temps, je sentais son impatience dans l'accélération de ses gestes, dans leur frénésie manifeste.

Nos ébats furent si enflammés que, quand nous retombâmes l'un contre l'autre sur le matelas, exténués et repus, le sommeil nous emporta en un rien de temps.

❋

En me réveillant, je constatai qu'il était près de 19 heures Je me tournai vers Nico, encore endormi. Durant notre sommeil, nous avions pris nos distances. Étrangement, je vis cet incident comme de mauvais augure.

Lorsqu'il ouvrit les yeux, la gêne m'envahit. C'était bizarre d'être là, dans ce lit, avec celui qui avait si librement exploré mon corps, et de ne pas savoir quoi lui dire.

– Tu as bien dormi ? me demanda-t-il.

– Oui. Et toi ?

– Oui.

Hélas ! Nous en étions donc rendus aux platitudes. Était-ce ainsi pour tout le monde ? Les gens en couple vivaient-ils tous cette scène *après* ? Lors de notre première fois, je m'étais enfuie si rapidement… Comment savoir ?

Pendant que je prenais ma douche, Nico alla réserver une table au restaurant de l'hôtel. Durant le repas, il me décrivit en détail le dernier épisode de sa série télévisée préférée, que je ne suivais pas. Je lui parlai de mes examens à venir. Il me semblait que ce n'était que du remplissage. De son côté, Nico ne paraissait pas l'avoir remarqué. Où étaient passées nos discussions animées ? Qu'était-il advenu de notre complicité ? Lorsqu'il me prit la main sur la table, je dus me forcer pour ne pas la retirer.

La fin de la soirée ne fut pas plus intéressante. Nico passa d'une chaîne télévisée à une autre alors que je lisais un magazine, appuyée contre lui. Quelque chose clochait. Je trouvais nos attitudes peu naturelles.

Le lendemain, j'insistai pour partir tôt, prétextant des travaux urgents à terminer.

Avant huit heures, les bagages furent prêts et les clés, rendues à la réception.

Durant le déjeuner, Nico me fit rire en me racontant une anecdote amusante, mais le malaise qui m'habitait depuis la veille refusait de me quitter.

Chapitre IV

Dur retour à la réalité

MARDI APRÈS-MIDI, déjà. Je n'avais pas revu Nico depuis dimanche. Je ne l'avais pas appelé. Lui non plus d'ailleurs. Il me semblait que nous aurions dû avoir envie de nous retrouver après ce moment que nous avions passé des semaines à préparer. Mais non, rien. Étais-je une mauvaise copine ? J'avais l'impression d'être anormale. La journée avait été parfaite. N'aurais-je pas dû être amoureuse, follement heureuse de ce rapprochement si longuement désiré ? Était-ce déjà la fin qui se dessinait ? Non ! Je ne voulais pas penser à ça.

Dimanche dernier, sur le chemin du retour, j'avais laissé la musique de la radio prendre toute la place entre nous. Je n'avais pas su quoi dire. Lui non plus n'avait pas été très bavard. Peut-être avais-je seulement projeté mes propres inquiétudes sur lui. L'impression d'être victime d'un mauvais karma qui ne me laisserait jamais vivre en paix revint me hanter. Allais-je passer ma vie dans un entre-deux inconfortable, jamais à la bonne place ?

Étais-je heureuse avec Nico? Avais-je envie de poursuivre ma relation avec lui? Je me posais tellement de questions et j'obtenais si peu de réponses! Afin de m'occuper l'esprit, j'avais enchaîné les tâches depuis dimanche et je n'avais pas cherché à joindre Nico. Et s'il m'avait téléphoné, j'aurais prétexté que j'étais débordée. En réalité, je n'avais aucune excuse.

Pas de doute, depuis quelques jours, j'étais la championne de l'évitement. Je repensais à l'un de mes enseignants de français qui m'avait souvent dit: « Fais un choix. Défendre une opinion nuancée est très compliqué. » C'était un judicieux conseil quand il s'agissait de prendre position sur la peine de mort, mais quand on parlait de sentiments et d'êtres humains, faire un choix, quel qu'il soit, pouvait avoir des conséquences fâcheuses.

Quitter Nico, c'était dire adieu à celui qui m'avait sauvée après le décès de ma mère: il avait été si patient et si compréhensif. Je lui devais tellement. Il m'avait soutenue dans les pires situations et ne m'avait jamais abandonnée. En même temps, je ne pouvais pas faire semblant que mon cœur débordait d'amour pour lui. Qu'est-ce qui n'allait pas chez moi? J'avais l'impression d'être imperméable à l'amour.

C'était donc ainsi depuis dimanche. J'étais taraudée par ces innombrables interrogations sans réponse qui faisaient de moi une indécise, une sans-cœur et une lâche. J'avais la désagréable impression d'avoir abusé de Nico. Tôt ou tard, il faudrait que je mette des mots sur mes émotions et que je lui parle. Mais pas maintenant. Ça attendrait encore un peu.

J'avais réussi à faire le trajet entre le cégep et chez moi sans même m'en rendre compte. Je devais souper et me rendre au café pour mon entrevue. Mon formulaire était rempli. J'espérais vraiment décrocher ce travail. Il me permettrait de redevenir autonome financièrement et d'avoir moins de temps pour broyer du noir. Sur ces pensées plus positives, j'ouvris la porte de la maison et je fus tout de suite accueillie par une agréable odeur.

–Salut, papa! criai-je en retirant mes bottillons. Ça sent bon! Qu'est-ce qu'on mange?

–Des pâtes maison au pesto.

–Miam! J'arrive.

J'allai me servir une assiette et m'assis à ma place, en face de celle de ma mère, qui était restée vide depuis son départ. Personne n'osait jamais s'y asseoir, pas même quelques minutes. Question de respect.

–Charles n'est pas là pour souper?

–Oui, mais il a décidé de manger dans sa chambre.

–Lui, je te jure! Qu'est-ce qui lui prend?

–Bah! Lauri, laisse-le faire! Ce n'est pas si grave. Tu sais ce que c'est, l'entrée au secondaire: se faire une place, s'adapter à tous les changements...

–Je sais, mais quand même ! Tu m'as vue me comporter en ermite et envoyer promener tout le monde autour de moi quand je suis entrée au secondaire ?

–Je sais bien, ma chouette, mais on n'est pas tous pareils. C'est plus difficile pour lui.

–Non, papa. Moi, je pense qu'il se fait influencer par son nouvel ami. Comment il s'appelle déjà ?

Mon père haussa les épaules.

–De toute façon, ça n'a pas d'importance, continuai-je. Je pense que tu devrais lui parler, avant que ça ne dégénère sérieusement.

–Allez, Laurianne, tu vas être en retard à ton entrevue si tu ne te dépêches pas, dit mon père, pour changer de sujet.

–En passant, c'est une vraie drogue, cette recette ! Tu ne peux pas savoir comme je suis contente que tu suives un cours de cuisine. On va finir par manger aussi bien qu'à *La Cage dorée* ici !

–Content que tu apprécies. Par contre, mes cours n'y sont pour rien. C'est Gwen qui l'a préparée.

Soudain, je n'avais plus très faim. Je repoussai mon assiette.

–Pourquoi elle nous donne ça, *Gwendoline* ? Elle n'a pas à prendre soin de nous !

–Laurianne, arrête d'en faire toute une histoire ! Et appelle-la Gwen, s'il te plaît ! C'est une amie et elle a voulu être gentille, c'est tout.

– Elle essaie de s'infiltrer dans notre famille, oui ! rétorquai-je en me levant de table.

Je sortis de la cuisine en coup de vent. Mon père n'essaya même pas de me retenir. Tant mieux. Je n'avais ni l'envie ni le temps de discuter avec lui. Je montai à ma chambre pour me changer et filai à l'arrêt d'autobus.

❋

– Tu peux travailler combien d'heures par semaine ? me demanda le gérant, M. Rodriguez.

– Autour de vingt-cinq heures. Vous voulez voir l'horaire de mes cours pour vérifier s'il concorde avec vos quarts de travail ?

– Oui, s'il te plaît.

Je sortis la feuille de mon sac. Quelques minutes plus tard, j'étais officiellement embauchée. Le gérant du café avait été impressionné par mon sérieux et l'expérience que j'avais acquise à la quincaillerie. J'avais déjà discuté avec mon ancien patron. Il avait compris que je n'allais pas bien du tout à l'époque où j'avais saccagé ses étagères et m'avait pardonné. M. Rodriguez devait le contacter durant la semaine par simple formalité et je savais que je n'avais pas à m'inquiéter.

– Tu pourrais commencer vendredi ?

– Bien sûr. À quelle heure ?

– À 14 heures. C'est plutôt tranquille durant l'après-midi. Ça te permettra de te familiariser avec les différentes tâches et avec la caisse. Mon meilleur employé sera présent pour assurer ta formation.

– Ça me va, répondis-je en me levant. Merci beaucoup. Vous ne le regretterez pas.

– J'en suis sûr, Laurianne. À vendredi !

Je lui souris avant de sortir. Enfin, un projet qui s'annonçait bien ! Je regardai ma montre : 19 h 30. Je pourrais appeler Nico, mais s'il ne m'avait pas téléphoné, c'était sans doute parce qu'il était déjà occupé, non ? Mieux valait laisser tomber.

Chapitre V

Sortie en célibataires

– TU ES SÛRE qu'on a bien fait de venir sans nos copains ?

– Oui, Marilou ! Nous sommes capables de nous débrouiller sans eux quand même ! D'ailleurs, pourquoi Jérémie ne pouvait pas t'accompagner ?

– Je ne sais pas trop, avoua Marilou. Je lui ai demandé s'il avait quelque chose de prévu jeudi et il m'a répondu oui. Alors, je ne lui ai pas parlé du party. Et toi, pourquoi Nico n'est pas là ?

– Ah… Tu sais, il connaît très peu de gens ici. Je pense qu'il se serait ennuyé, répondis-je pour camoufler les raisons qui m'avaient poussée à ne pas informer Nico de la fête.

– Si tu le dis…

Je demandai la direction de la cuisine à une invitée qui se balançait au son de la musique. Considérant probablement sa salive trop précieuse pour la gaspiller, elle se contenta de pointer l'endroit de son index. Vraiment, le voisin d'Anthony avait le chic pour choisir ses amies !

Une fois à la cuisine, je vis deux garçons appuyés au comptoir. J'entraînai Marilou à ma suite et interrompis la conversation des deux jeunes gens pour savoir si l'un d'eux pouvait nous trouver à boire.

–Bière ? suggéra l'un.

–Parfait !

Le plus grand ouvrit le réfrigérateur et en sortit deux bouteilles qu'il décapsula avant de nous les tendre.

–Eh bien ! Eh bien ! Les plus belles sont arrivées, que la fête commence ! s'exclama quelqu'un dans mon dos.

En me retournant, je reconnus sans surprise mon ami Anthony. Comme toujours, il me serra bien fort dans ses bras. Avisant Marilou à côté de moi, il se pencha pour l'embrasser sur les joues. Il me sembla que son visage s'était coloré. Toujours aussi accro, celui-là !

–Tu nous as amené une perle rare, Laurianne ! appuya-t-il, tentant de complimenter Marilou.

–Avoue que tu m'invites seulement à cause d'elle ! l'accusai-je en riant.

–Tu me connais mal, Lauri ! se défendit-il. Les garçons sont au salon ?

–Non, malheureusement, se lamenta Marilou. Célibataires d'un soir, comme dit Lauri ! Ouais, tu parles !

–Arrête de faire la gueule, ma belle ! Je te promets que tu vas t'amuser. Prenez vos bières, je vous amène où ça bouge !

En approchant du salon, la musique se faisait plus forte et entraînante. Marilou, enfin conciliante, accepta de venir se trémousser avec moi. Le temps de quelques airs, chacune de nous profita du moment présent. Anthony dansait tout près, heureux de nous voir nous amuser. Bientôt, cependant, il nous fallut prendre une pause. Nous sortîmes alors de la foule pour aller nous appuyer au mur du corridor adjacent. Marilou retrouva immédiatement son air soucieux. Elle ne participait pas du tout à notre conversation. Son regard errait à travers la pièce.

– Qu'est-ce que tu regardes comme ça ? la questionnai-je.

– Rien, je réfléchissais. Eh ! C'est Jérémie ! Qu'est-ce qu'il fait là ?

Nous abandonnant sur place, elle s'engagea plus avant dans le couloir.

– Tu crois que j'aurai ma chance avec elle un jour, Lauri ? soupira Anthony.

– Tu veux que je sois sincère ou encourageante ?

Déçu, il ne répondit pas et soupira de nouveau. Je mis ma main sur son épaule pour le réconforter. Je jetai un coup d'œil à mon amie pour voir où elle allait et me rendis compte qu'elle ne bougeait pas. Elle restait debout en plein milieu du corridor. Sentant que quelque chose clochait, je dis à Anthony que je revenais tout de suite et m'approchai d'elle.

Elle était crispée et des larmes coulaient sur ses joues. Je suivis son regard et découvris Jérémie en compagnie d'une jolie rousse aux cheveux bouclés. Il riait avec elle et jouait avec une de ses mèches. Le temps semblait s'être suspendu. Aucune de nous deux ne bougeait, possédées par une curiosité qui nous forçait à regarder ce qui allait se produire. Jérémie et la fille ne parlaient plus, ne riaient plus. Ils se regardaient intensément et au bout de quelques secondes, ce que nous redoutions se produisit ; Jérémie l'embrassa passionnément. Ce n'était même pas mon copain et j'avais physiquement mal d'être témoin de ça. Je ressentais la peine de ma meilleure amie.

Probablement intrigué, Anthony nous rejoignit et vit que nous étions toutes les deux effarées. Lorsqu'il aperçut la scène, lui non plus ne put détacher son regard de Jérémie qui ne nous voyait pas, qui ne savait pas que nous venions de découvrir son secret. Ce petit jeu durait-il depuis longtemps ? Je me disais que Marilou devait avoir la même question en tête.

S'éloignant enfin de sa belle, Jérémie la prit par la main et l'entraîna vers le salon – vers nous. Quand son regard croisa celui de Marilou, il perdit son sourire et lâcha la main de la fille qui trottinait derrière lui. Mon amie recula de quelques pas en tremblant et se retourna pour sortir en courant.

–Marilou, attends ! cria Jérémie, la voix noyée dans la musique.

Il s'élança pour la rattraper, mais je lui barrai le passage.

–Oublie ça tout de suite! lançai-je sur un ton qui n'admettait pas de réplique.

–Jérémie, qu'est-ce qui se passe? demanda la rousse, soudain anxieuse.

–Oh! En plus, elle non plus n'est pas au courant! Quel cachottier! le nargua Anthony. Tu sais, Jérémie, même dans mes rêves les plus fous, tu n'étais pas aussi stupide, se moqua mon ami.

Peu émue par l'embarras de la rouquine, j'entraînai Anthony à l'écart et laissai Jérémie à ses explications forcées.

–Excuse-moi, Anthony, je vais devoir y aller, dis-je, ébranlée.

–Je comprends Tu me donnes des nouvelles, hein?

–Oui, oui! Ce que tu peux être profiteur!

Je me précipitai dehors pour rejoindre Marilou et je tombai nez à nez avec Nico qui montait l'escalier.

–Qu'est-ce que tu fais ici? m'étonnai-je. Comment m'as-tu trouvée?

–On a les mêmes amis, ce n'était pas difficile de savoir que tu serais ici. Écoute, il faudrait que je te parle.

–En fait, Nico, j'ai une urgence, alors...

–C'est vraiment important, insista-t-il.

Je n'avais pas envie de discuter de nous. Mon esprit était tourné vers Marilou qui avait besoin de moi et Jérémie qui méritait que je prenne le temps de le détester. Néanmoins, j'avais repoussé l'échéance plusieurs fois et il ne servait à rien de continuer à le faire.

Résignée, je le suivis à l'intérieur. Anthony s'étonna de me voir déjà de retour. Je lui demandai s'il y avait un endroit calme pour discuter. Il m'indiqua une pièce du premier étage qui servait de salon de lecture. Je m'installai sur la causeuse. Même si je voulais rester neutre, un soupir m'échappa. Nico le remarqua. Il s'assit à mes côtés, visiblement mal à l'aise.

–Écoute, Lauri, ce que je veux te dire est vraiment difficile.

Ça me semblait être le début d'un long monologue. J'aurais donc quelques minutes pour réfléchir à ce que j'allais bien pouvoir lui expliquer pour ma part.

–Quand je t'ai rencontrée, je t'ai trouvée attirante, bien sûr. Sinon, je n'aurais pas... Bon, enfin, mais tout de suite après, quand j'ai vu que tu ne t'accrochais pas à moi et que tu venais de coucher avec un garçon pour la première fois, je ne sais pas, j'ai eu des remords et j'étais curieux en même temps. Je voulais savoir qui était cette fille qui n'attendait rien des gars. Quand j'ai compris ce que tu vivais et pourquoi tu agissais ainsi, je me suis senti responsable de toi, en quelque sorte. J'avais peur que tu te fasses du mal, que tu foutes ta vie en l'air. J'avais l'impression que c'était mon rôle de m'occuper de toi. Ensuite, on a joué au chat et à la souris. Ça me faisait perdre la tête.

Je croyais devenir fou à te désirer autant. Puis, il y a eu l'avortement. Je pensais que ce serait la fin, mais non. Je me disais que c'était bon signe, que nous deux, c'était ça.

Je l'écoutais et j'aurais voulu qu'il parle de quelqu'un d'autre que de moi. L'histoire qu'il racontait se devait d'avoir une belle fin, mais mes idées étaient si noires et embrouillées ! Dans quelques minutes, j'allais être obligée de lui dire que je ne l'aimais pas comme il le méritait et j'allais l'anéantir. Il continua :

– Je me disais que si on avait réussi à passer par-dessus ça, rien ne nous résisterait. J'avais tellement hâte de retourner à Québec avec toi. Je voulais que tout soit magique, parfait. Et c'était le cas... Enfin, j'en étais convaincu.

Il n'était sûrement pas venu me trouver pour me faire un historique de notre relation. Il avait dit qu'il voulait me parler de quelque chose de difficile. Rien ne m'apparaissait plus terrible que ce que j'avais à lui avouer. Il fallait que je l'arrête, que je lui fasse part de mes incertitudes, mais j'en étais incapable.

– En fait, *après*, pendant que tu étais sous la douche, je me suis rendu compte que j'aurais dû être plus heureux. Je suis désolé, Lauri, je m'en veux de te dire ça, mais je pense que toi et moi, c'est fini.

La conversation prenait une direction que je n'avais pas prévue. J'aurais dû lui répondre quelque chose, n'importe quoi, mais j'étais estomaquée.

–Ce que je suis en train de te dire, Lauri, c'est que c'est terminé. Je suis un vrai salaud de ne pas t'avoir laissée tranquille quand tu me l'as demandé. C'est ma faute, tout ça. J'espère que tu me pardonneras.

Il se leva et sortit doucement de la chambre. Je restai là quelques instants pour bien saisir ce qu'il venait de me raconter. Qu'est-ce qui venait de se passer? Dès le début, j'avais hésité à m'investir pleinement dans cette relation. Nico l'avait toujours su. Je ressentais son rejet comme un coup de poignard dans le dos, parce qu'il avait toujours semblé sûr de ses sentiments.

Un autre point auquel je n'avais pas envie de penser était que je venais aussi de perdre la mère de Nico. Cela pouvait paraître étrange à dire, mais dans les derniers mois, elle avait été pour moi ce qui se rapprochait le plus d'une mère. Elle était souriante, s'informait de moi, de mes cours, s'inquiétait de tout, m'invitait à souper. C'était un coup de poignard dans le cœur. Comme si je perdais de nouveau ma mère.

Bien sûr, j'avais moi-même pensé mettre fin à cette relation, mais les propos de Nico me semblaient bien plus graves encore puisqu'ils supposaient que notre relation n'avait été basée que sur la pitié et les faux-semblants.

Je parvins difficilement à me lever. Je descendis au rez-de-chaussée et sortis de la maison. Notre histoire se terminait comme elle avait commencé: d'une façon imprévue.

Je rentrai finalement chez moi. Ma montre indiquait 21 h 45. Mon père était sur le point de revenir. Je me rendis à la salle de bain pour enlever mon maquillage. Je commençais à frotter doucement mes paupières lorsque j'entendis la porte d'entrée s'ouvrir. Mon père essayait peut-être de ne pas faire de bruit. Intriguée, je sortis de la pièce pour le découvrir en train d'embrasser Gwendoline.

–Papa ! m'exclamai-je.

Mal à l'aise, mon père s'écarta de son amie.

–Lauri ? Tu ne devais pas être à une fête ce soir ? Je pensais que tu rentrerais tard.

–Et c'est pour ça que tu en profitais ?

–Lauri !

–André, je vais te laisser discuter avec ta fille. Appelle-moi, d'accord ?

Gwendoline partit sans demander son reste.

–Comment tu peux faire ça à maman ? Lui lançai-je. Qu'est-ce que tu lui trouves, à cette femme ? Elle n'a rien de maman !

–Justement ! s'emporta-t-il. Si j'avais rencontré une femme qui avait ressemblé à ta mère, je n'aurais jamais pu la fréquenter. Si elle avait eu ses cheveux blonds, son air fier, le même style de vêtements, je n'aurais jamais pu recommencer à vivre normalement. Il n'y aura jamais deux Roxane. Tu comprends ?

Complètement déboussolée, je ne savais pas si je devais continuer à lui en vouloir, à lui être reconnaissante du respect qu'il portait encore à la mémoire de ma mère, à avoir de la peine pour son amour perdu ou à me jeter dans ses bras. Comme j'ignorais ce qu'il fallait faire, je me cachai le visage dans les mains et gardai le silence. Vidée de mon énergie, je pris le chemin de ma chambre.

Lorsque j'arrivai en haut de l'escalier, Charles m'appela de sa chambre.

–Est-ce que c'est important? lui criai-je. J'ai vraiment envie de dormir.

–Nico est passé tout à l'heure. Il a laissé une boîte pour toi. Je l'ai déposée sur ton lit, me dit-il.

Intriguée, je me rendis dans ma chambre où je découvris une boîte sur mon lit. Je la soupesai, la secouai. Elle était légère et semblait contenir peu de choses. Je m'assis et retirai le couvercle. À l'intérieur, un seul objet: le portrait de moi réalisé à la mine par un artiste du Vieux-Québec l'été dernier. Je laissai tout tomber par terre. Même cet objet, son meilleur souvenir de moi, disait-il, il n'avait pas voulu le conserver. Je n'avais pas assez d'importance à ses yeux pour continuer d'exister dans sa mémoire après notre rupture. J'étais effacée. Oubliée.

Je laissai libre cours à mes sanglots.

Chapitre VI

Rencontre « inattendue »

– BONJOUR, Laurianne !

Je saluai le gérant du café d'un signe de tête que j'accompagnai de mon plus beau sourire. Le cœur n'y était pas, mais malgré la rupture de la veille, la terre continuait de tourner et il me fallait bien paraître en cette première journée de travail.

– Tu peux déposer tes effets personnels à l'arrière, continua M. Rodriguez. Reviens me voir ensuite.

J'acquiesçai avant de prendre la direction du vestiaire des employés. En entrant, je découvris une pièce à peine plus grande qu'un réduit, meublée d'une minuscule table, de deux chaises et de quelques casiers, dont l'un à mon nom. Pas une seule affiche ne venait égayer les murs d'un blanc vieilli et aucune fenêtre n'ouvrait sur les lieux. Au plafond, un néon produisait un bruit déplaisant, jetant une lumière intermittente sur les différentes surfaces. On était loin de l'ambiance dont profitaient les clients du café !

Je me dépêchai de ranger mon manteau et mon sac, puis j'allai retrouver M. Rodriguez.

Il servait avec amabilité un couple de personnes âgées et je sursautai en découvrant qui se tenait avec lui derrière le comptoir.

–Viens, Laurianne. Je te présente Luis. Il s'occupera de toi aujourd'hui.

Le jeune homme me sourit de toutes ses dents. J'étais quant à moi trop étonnée pour répondre quoi que ce soit. Qu'est-ce qu'il faisait là ?

–N'aie aucune inquiétude, poursuivit M. Rodriguez. Il est tout à fait capable de te former. Il a pratiquement grandi entre ces murs ! C'est mon neveu.

J'allais décidément de surprise en surprise.

–Je dois vous laisser ! Luis, n'oublie pas de programmer le système de sécurité avant de fermer. Allez ! Bonne soirée, les enfants !

Lorsque le gérant fut parti et qu'il ne resta plus que nous et le couple de vieillards, je retrouvai ma langue.

–Alors comme ça, tu *traînes* parfois ici ?

–Bien sûr ! À peu près vingt-cinq heures par semaine, me répondit-il d'un ton moqueur.

Ah ! C'était donc comme ça ? Il voulait faire le malin !

–Vu ta facilité à jouer avec les mots, rappelle-moi de ne jamais te faire confiance…

Sa gaieté disparut illico.

–Eh ! Je voulais simplement t'aider. Tu as eu le poste, oui ou non ?

Là, il marquait un point.

–Pourquoi tu ne m'as pas dit que tu travaillais au café et qu'il appartenait à ton oncle ?

Il adopta une moue contrite. C'était un début.

–Si je t'avais abordée en te disant ça, tu n'aurais même pas tenté ta chance. Tu ne me connais pas et tu n'as pas l'air du genre à faire confiance à n'importe qui.

Une boule se forma dans ma gorge. S'il savait ! C'était exactement ce qui s'était produit avec Nico. Je l'avais vu, il m'avait plu, je m'étais instantanément sentie bien en sa présence et nous avions terminé cette rencontre au lit.

–Sur quoi tu te bases pour avancer ça ? Un regard ? Une phrase entendue ici ou là ?

Il demeura un instant silencieux avant de me répondre.

–Ça fait deux mois qu'on suit le même cours. J'ai tenté de te parler à quelques reprises et je n'ai eu droit qu'à des monosyllabes incohérents de ta part. Sans compter que tu ne travailles en équipe avec personne et que tu restes dans ton coin. Alors oui, permets-moi de porter un jugement.

J'ouvris la bouche pour protester, mais un raclement de gorge nous obligea à nous retourner. De l'autre côté du comptoir, une femme semblait suivre notre joute verbale avec exaspération. Elle commanda rapidement un espresso et Luis en profita pour me montrer le fonctionnement de la machine.

–Chaque café demande une attention particulière. Tu ne prépares pas un espresso comme un caffè latte. Il faut donc mouliner différemment les grains selon la commande.

–Vous n'avez pas de café déjà moulu comme celui qu'on achète à l'épicerie?

Luis sembla scandalisé par ma question.

–Jamais! Ici, tous les grains sont broyés sur place! Sinon, le café ne goûterait pas aussi frais!

J'étais en présence d'un maniaque du café, de ceux qui en font presque une religion. Le temps allait être long.

Il poursuivit en m'expliquant les différentes étapes pour faire l'espresso le plus savoureux de la ville. Ses gestes étaient sûrs. Je tentai de me concentrer sur les tâches que j'aurais bientôt à exécuter.

–Tous nos grains proviennent de cultures équitables, expliqua-t-il, tout fier. Mon oncle y veille personnellement. Quand ils étaient jeunes, ma mère et lui travaillaient chaque été dans des plantations de café. Il sait que les conditions de vie sont difficiles pour les employés et que les producteurs sont exploités.

Mon intérêt pour le café venait soudain de grimper en flèche. Luis avait l'air si inspiré que je n'arrivais pas à détourner le regard de son visage. Quel drôle de garçon, tout de même!

–À cause de ce choix, nos prix sont un peu plus élevés qu'ailleurs, mais les gens reviennent, parce que nos produits sont les meilleurs, finit-il en tendant l'espresso à une femme assoiffée sur le point de faire une crise de nerfs.

Cette dernière lança la monnaie exacte sur le comptoir et disparut en un éclair.

–Merci et à la prochaine ! lança gentiment Luis.

–Quelle impolie !

Il sourit de plus belle. J'avais l'impression qu'il ne savait faire que ça !

–Les gens qui prennent des commandes à emporter sont souvent pressés. Il ne faut pas les faire trop patienter et demeurer agréable avec eux en tout temps, quoi qu'il arrive.

En y réfléchissant bien, je dus avouer que c'était cette partie de mon travail qui allait me donner le plus de fil à retordre. À la quincaillerie, j'avais rarement eu à servir des clients mécontents. La plupart du temps, j'occupais un poste de manutentionnaire. Je plaçais, comptais et triais les marchandises. Quand j'avais à servir le public, c'était surtout au rayon de la peinture et les gens, quoique parfois trop familiers, étaient généralement aimables avec moi.

–Allez ! Je te montre la suite, me dit Luis avec entrain.

Entre chaque client, il continuait de m'exposer en quoi consisterait la majeure partie de mes tâches. Cet emploi qui, au départ, m'avait semblé d'une facilité déconcertante – servir du café, rien de plus facile ! –, se révéla assez complexe en fin de compte. Par exemple, j'appris que préparer un café filtre velouté demandait une plus grande quantité d'eau qu'un café corsé. Je devais aussi connaître chacun des ingrédients qu'on mettait dans les sandwichs, les salades et les soupes afin d'éviter les allergies.

Luis me présenta un tableau où figuraient les différentes tâches ménagères à accomplir quotidiennement. Les employés en avaient vingt-huit à exécuter en une semaine. Ouf! Comme nous étions vendredi, il fallait nettoyer les plaques à cuisson, passer l'aspirateur, laver le plancher et arroser les plantes en pot avant la fermeture. S'ajoutaient les corvées de tous les jours: garder les tables et surfaces vitrées propres, remplir et vider le lave-vaisselle industriel, servir les clients, garnir les comptoirs réfrigérés, vérifier la quantité de sucre, de lait et de crème, etc.

À la fin de la soirée, j'étais complètement lessivée. J'avais l'impression d'avoir déjà oublié la moitié des informations que Luis m'avait données. Sentant probablement mon découragement, il me dit gentiment:

–Ah! Ne t'en fais pas. On ne te demande pas de tout savoir en une journée! De toute façon, les premières semaines, il y aura toujours quelqu'un avec toi pour poursuivre ta formation. Et ça sera souvent moi!

La pression retomba. Il était difficile de ne pas être envahie par la gaieté en sa compagnie. Ce n'était pas un remède miracle, mais il m'avait au moins permis de repousser tous mes ennuis pendant quelques heures. Et même si les tâches me semblaient plus éreintantes que ce que j'avais d'abord cru, j'étais heureuse d'avoir postulé à cet emploi et de l'avoir obtenu.

–Bon ! Je ferme la caisse, on prend nos manteaux et j'active le système, d'accord ?

J'acquiesçai, jubilant à l'idée de pouvoir bientôt reposer mes jambes fatiguées.

Une fois dehors, je saluai rapidement Luis de la main. Il m'arrêta aussitôt.

–Tu veux que je te raccompagne ?

J'hésitai un instant, ne sachant pas si c'était une bonne idée. Après tout, j'en savais très peu sur lui.

–Si ça peut te rassurer, appelle d'abord chez toi pour prévenir ta mère que je vais te déposer.

Je figeai. Prévenir ma mère ? J'aurais bien aimé.

–Je vais écrire un texto à mon père, merci.

Je vis instantanément l'interrogation dans son regard, mais il n'ajouta rien et attendit que j'aie terminé d'envoyer mon message pour m'ouvrir la porte de la voiture. Tentant de chasser ma tristesse, je m'installai confortablement sur le siège.

–Elle est à toi ? demandai-je, quelque peu étonnée devant le modèle conduit par Luis.

De couleur orangée, il s'agissait d'un coupé sport assez récent, pas du tout le véhicule typique d'un élève.

–Je sais, elle fait un peu tape-à-l'œil, mais j'aime conduire. Je voulais une voiture qui ait du caractère. On n'a qu'une seule vie à vivre !

Avoue que ça te fait craquer ! me lança-t-il, clin d'œil à l'appui.

Il fallait bien admettre que ça changeait de la bagnole du frère de Nico. Refusant d'entrer dans son jeu, je lui indiquai le chemin de la maison.

❋

En pénétrant chez moi, je sentis une atmosphère étrange qui flottait dans l'air. Un mauvais pressentiment m'étreignit. Il s'était passé quelque chose, c'était certain.

Je compris rapidement que mes inquiétudes étaient fondées en entendant les éclats de voix en provenance de la cuisine. Intriguée, je me dépêchai d'aller voir ce qui se passait.

– C'est rien, je te dis ! criait Charles.

– Rien ? Rien ! s'emportait mon père. Moi, j'appelle ça une agression sexuelle ! Et ton directeur aussi, d'ailleurs !

– C'était juste une blague. Vous exagérez vraiment !

– Tu diras ça aux parents de la fille ! hurlait maintenant mon père, visiblement à bout de nerfs, pendant que mon frère prenait la direction de ses quartiers.

Estomaquée, incapable d'interpréter cette conversation, je restai plantée là, bouche bée, en quête d'une explication moins inquiétante que les conclusions qui me venaient en tête. Un agresseur sexuel ? Mon frère ?

dais par où commencer. Le plus facile étant de lui raconter ce qu'avait fait Charles, je m'exécutai. Tout comme moi, elle n'en crut pas ses oreilles. Lorsque le sujet tomba à plat, elle m'observa en silence quelques instants avant de repartir à la charge.

– Si tu me disais tout, Lauri ? Je vois bien qu'il y a autre chose qui ne va pas.

– Tu as raison. C'est Nico. Il a…

Bien sûr, j'avais envie de partager mes états d'âme avec Marilou, ma meilleure amie. Cependant, mon orgueil avait dû encaisser un dur coup. Nico avait rejeté le portrait de moi, le symbole de notre plus beau moment à deux. J'étais humiliée ! Alors que je cherchais des mots qui ne franchiraient jamais mes lèvres, mes yeux se remplirent de larmes. Le dire à voix haute, ce serait avouer que j'étais un déchet et je ne voulais pas que Marilou le sache. J'étais prête à lui confier ma rupture mais pas l'épisode du dessin.

– Nico et moi, c'est terminé, lançai-je, les joues sillonnées de larmes.

– Quoi ? Mais voyons, Lauri, il y a sûrement quelque chose à faire ! Quand on vous voit tous les deux, on se dit que même la mort n'arriverait pas à vous séparer.

– Non, Marilou, tu te trompes.

Je lui racontai notre week-end à Québec, comment le désir avait laissé place à un réel inconfort. Je ne lui cachai rien des questionnements qui avaient suivi. Je lui avouai qu'après cette journée, moi non plus, je n'étais plus aussi sûre de l'aimer. Nico m'avait seulement bouleversée avec sa déclaration.

–C'est toi qui me dis que je n'ai pas les idées claires ? C'est normal de se questionner sur ses sentiments. Il y a sûrement un moyen d'arranger les choses, Lauri ! Peut-être que vous pourriez…

–Non, Marilou, on ne peut rien faire ! En réalité, ça fait longtemps qu'il y a un problème. Disons que toute notre relation a débuté de travers. Et puis… je me suis fait avorter.

J'étais incapable de poursuivre.

–Quoi ? Tu étais enceinte ? Quand ? fit Marilou. Pourquoi tu ne m'as rien dit ? J'aurais pu t'aider, t'accompagner, je ne sais pas, moi !

–On ne se parlait plus. Ça s'est passé un peu avant qu'on se réconcilie. Je suis désolée. J'aurais dû t'en parler avant, mais il n'y a pas de bon moment pour annoncer à sa meilleure amie qu'on s'est fait avorter.

–Viens ici, me dit-elle en ouvrant ses bras.

Je la serrai fort, soulagée d'avoir partagé avec elle le poids de ce secret.

–Qu'est-ce que tu fais là, toi ? demanda soudain Marilou à quelqu'un derrière mon dos.

Je me retournai pour découvrir son frère dans l'entrée de la cuisine. Qu'avait-il entendu exactement ?

–Euh ! Je venais chercher quelque chose à manger, dit Emmanuel en s'avançant.

À sa démarche gauche et son regard fuyant, je sus qu'il avait saisi l'essentiel de notre conversation. J'aurais préféré qu'il n'en sache rien. Depuis que nous nous étions embrassés à pleine bouche dans la salle de bain, il y avait un malaise entre nous. Alors, quand je venais voir Marilou, nous préférions nous éviter. Bien sûr, mon amie m'avait dit qu'elle avait expliqué à son frère pourquoi je m'étais conduite de la sorte, mais c'était tout de même bizarre de le voir là. Et maintenant, il était au courant de mon secret. À la hâte, j'avertis Marilou que j'allais à la toilette. Ainsi, Emmanuel aurait le temps de déguerpir avant mon retour.

Une fois devant le miroir, j'ouvris le robinet et m'aspergeai le visage d'eau glacée. Après m'être séché la figure, je constatai qu'il faudrait beaucoup plus que de l'eau pour me redonner un aspect présentable.

Moi et mon foutu orgueil de merde! J'aurais préféré mille fois être capable de parler à cœur ouvert avec mon amie. Tout ce temps pour réussir à lui avouer mon avortement! Dans la foulée, j'aurais pu aborder l'épisode du portrait avec elle. J'avais conscience que c'était ridicule de lui cacher un détail comme celui-là. Qui serait embarrassé par si peu? J'étais une orgueilleuse, rien d'autre.

J'ouvris la porte. Emmanuel m'attendait, appuyé sur le mur du couloir. Je ne pourrais donc pas l'éviter.

–Je savais que tu en avais bavé, Laurianne, mais j'ignorais à quel point. Je suis désolé, lâcha-t-il.

–Merci.

Réponse laconique, inutile. Qu'aurais-je pu dire d'autre? La mort de ma mère n'avait été que la pointe de l'iceberg. C'était ce que tout le monde savait, voyait. On n'imaginait pas le reste. Et encore! Marilou n'avait pas pu tout révéler à son frère, parce qu'elle en ignorait la majeure partie.

Tout ça, c'était beaucoup trop pour une seule personne, mais je ne pouvais rien effacer des derniers mois. L'expulsion de l'école, le vol, la police, la fugue, l'avortement, mon choix de carrière qui n'allait nulle part, l'arrivée de Nico, son départ... C'était imprimé dans ma chair et je devrais gérer les cicatrices laissées par les événements. Pas d'échappatoire.

Je retournai à la cuisine pour savourer mon café. Je l'accueillais comme un petit bonheur gratuit, la vie en offrait si peu.

–Ça va? demanda Marilou alors que je prenais place à la table.

–Comme toi, j'imagine. Aussi bien qu'un cœur brisé puisse se porter. En fait, il y a autre chose qui me met dans cet état: le cégep. Mes cours ne m'intéressent pas, je ne pense pas avoir trouvé ce que je veux faire plus tard.

–C'est seulement parce que tu es dans un programme plus général. Ça te semble peut-être moins concret.

– Non, c'est plus que ça. Je ne vois pas à quoi pourrait me servir ce diplôme.

– Dans quoi tu voudrais t'inscrire alors ?

– C'est ça le problème ! Si tu le sais, préviens-moi.

Marilou essaya de m'encourager, mais rien n'y fit, j'étais déprimée. Pour ma part, je n'étais guère meilleure pour lui remonter le moral. Probablement qu'aucune parole ne pourrait soulager mon amie d'avoir été trompée de cette manière. Il n'y avait que le temps pour arranger les choses et c'était aussi la solution à mon problème avec Nico. Pour mes cours, il faudrait que j'y réfléchisse rapidement et que je prenne une décision.

Je me levai et allai déposer ma tasse dans l'évier. Je travaillais dans quarante-cinq minutes et il serait inconvenant d'arriver en retard. La veille, j'avais réussi à cacher mes états d'âme en me concentrant sur mes tâches. Aujourd'hui, je sentais que ce serait plus difficile. Ma discussion avec Marilou m'avait trop remuée. J'espérais seulement que Luis n'allait pas m'embêter pour savoir ce qui me tracassait. À mon air, il verrait sûrement que quelque chose ne tournait pas rond.

❋

Je fixai mon attention sur le lait qui tournoyait et moussait dans le récipient de métal. Le mouvement m'hypnotisait et j'étais ailleurs, insensible au monde extérieur. Luis stoppa soudain la machine, interrompant le son qui me faisait oublier mes tourments.

–Est-ce que tu vas bien, Laurianne? me questionna-t-il. On dirait que tu n'as pas la tête à travailler.

–Non, non, me défendis-je, inquiète qu'il ne parle en mal de moi à son oncle. Je suis un peu préoccupée, c'est tout.

Il n'eut pas l'air de me croire.

–Je comprends que tu ne veuilles pas m'en parler. On ne se connaît pas vraiment, mais on se ressemble beaucoup. Je ne suis pas très bavard quand je ne vais pas bien. Quand mon père est mort, j'ai passé des mois à fonctionner comme un robot.

–Ton père est décédé? fis-je, estomaquée.

Bien sûr, c'était une question stupide puisqu'il venait de me l'annoncer, mais la découverte de ce point que nous avions en commun m'avait surprise.

–Dans un accident d'auto il y a deux ans. Depuis, j'habite seul avec ma mère. J'ai passé tellement de temps à m'isoler, à regretter de ne pas avoir dit ou fait telle chose avant qu'il parte. J'ai même arrêté temporairement mes études parce que je n'arrivais pas à me concentrer. Si j'avais eu le temps de me préparer à sa mort, ça n'aurait pas été si difficile.

–Crois-moi, ça n'aurait rien changé du tout. Ma mère est décédée d'un cancer en avril dernier et même si je savais qu'elle allait mourir, ma vie est un enfer depuis. Rien n'est simple.

– Je suis désolé de l'apprendre. C'est ce qui te met le cœur à l'envers?

– Non, pas vraiment. J'ai eu le temps de vivre mon deuil, même si elle me manque toujours. En fait, il y a deux ou trois trucs qui me tracassent: j'aimerais changer de programme au cégep, mon père fréquente une femme, mon frère ne fait que des conneries et…

Je soupirai et ajoutai:

– En fait, mon copain m'a laissée cette semaine.

Mais qu'est-ce qui me prenait de lui révéler ma rupture? Luis était pratiquement un inconnu et j'avais déjà toutes les difficultés du monde à parler à ma meilleure amie. Toutefois, Marilou ne pouvait pas comprendre ce que ça représentait de perdre un parent. Luis, oui. Cela expliquait peut-être pourquoi j'avais été à l'aise de lui faire une telle confidence.

– Excuse-moi, Luis, ce n'est pas ton travail d'écouter les plaintes des employées. Fais comme si je n'avais rien dit.

– Mais non! Ça ne me dérange pas du tout! En réalité, je suis intrigué. Qui ne voudrait pas d'une fille comme toi? Il avait de la chance, ce gars-là. Quelqu'un le lui a dit?

Je le regardai. Avec son beau sourire et ses yeux rieurs, il avait réussi à faire grimper d'un cran ma confiance en moi.

– Merci, tu es gentil.

– Ce n'était pas de la gentillesse.

Il me jeta un regard énigmatique avant de retourner à sa machine. Marilou avait peut-être raison. Peut-être Luis attendait-il quelque chose de moi ? Après l'épreuve que je venais de vivre, c'était plutôt flatteur.

Finalement, ce quart de travail serait plus facile que je ne le pensais.

Chapitre VIII

Bras de fer

–Merde ! Quelle plaie !

–Pardon ? me répondit-on.

Je levai le regard vers la cliente que j'étais en train de servir. Confuse d'avoir employé un tel langage au travail, je rougis instantanément.

–Euh ! Je m'excuse. Je ne m'adressais pas à vous. Voilà votre panini. Désolée pour l'attente.

La femme, plutôt snob, ne me remercia même pas et reporta son attention sur l'homme qui était attablé devant elle et qui semblait s'ennuyer à mourir en sa compagnie. Très droite sur sa chaise, elle reprit la discussion là où elle l'avait laissée sans plus se soucier de moi. L'homme, lui, continua de faire semblant de l'écouter, tout en consultant subtilement ses messages textes sous la table.

J'aurais normalement pris le temps d'analyser toute la scène et j'en aurais ensuite ri avec Marilou, mais à ce moment-là, tout ce qui m'importait, c'était celui qui venait d'entrer dans le café. C'était Nico.

Mais que faisait-il ici ? Était-ce un hasard ou avait-il cherché à me trouver ?

–Ça va ? me demanda Luis en passant près de moi pour ramasser les tasses et les assiettes vides sur les tables.

–Oui, oui.

Il me scruta quelques secondes.

–Tu es sûre ? Tu es toute pâle !

Je me secouai un peu. Pas question de montrer à qui que ce soit que j'étais déstabilisée par l'apparition de mon ex-copain.

–Tout va bien. Ne t'inquiète pas.

Je voyais qu'il en doutait. Ses yeux cherchèrent les miens, mais je préférai éviter son regard. Il était trop perspicace. Heureusement, il ne s'acharna pas.

–D'accord, fit-il simplement.

Puis, me serrant l'épaule, il me poussa en direction du comptoir de service.

–Viens ! On n'a pas beaucoup de clients. C'est le moment idéal pour te montrer quelques autres tâches à effectuer.

Alors que mes pensées étaient complètement tournées vers Nico qui s'était installé à une table près de nous, j'eus toutes les peines du monde à suivre les explications de Luis quant à la manière de nettoyer le grill à panini et à la façon d'exécuter les rotations dans le comptoir à salades.

À un moment, par contre, je m'aperçus qu'il ne parlait plus du tout. Depuis combien de temps ce silence durait-il ? Je n'en avais aucune idée. Ce que j'observais, par contre, c'étaient ses sourcils froncés. C'était la première fois que je lui voyais cette expression. Il semblait toujours si souriant et si léger, comme si la vie n'était pour lui qu'une partie de plaisir.

– Écoute, Laurianne, tu n'as vraiment pas l'air d'aller. Dans une cuisine, ça peut être dangereux.

Par réflexe, je posai ma main sur son bras pour le rassurer.

– Non, ça va, je suis seulement préoccupée. Je vais essayer de faire de mon mieux.

– Est-ce que je peux faire quelque chose ? Tu as besoin de partir ? Ce ne serait pas la première fois que je ferme le café tout seul.

– Non, tout va bien, lui répétai-je.

Luis s'apprêtait à répliquer lorsqu'un client attira son attention. Il s'avança au comptoir et sourit de nouveau.

– Bonsoir ! Qu'est-ce que je vous sers ?

– Un café filtre. Merci.

En attendant cette voix, je frissonnai. Je n'avais pas reparlé à Nico depuis notre rupture. J'avais peur de son regard, peur de ce qu'il laisserait transparaître et surtout peur de rouvrir mes blessures mal cicatrisées.

Comme je l'avais craint, Nico me fixait intensément de ses beaux yeux verts, sans considération aucune pour celui qui avait pris sa commande.

Luis perçut ma détresse et son air accueillant disparut. Il scruta l'autre quelques secondes. Nico, sentant cette attention soudaine, riva finalement son regard à celui de

Luis. Je sentis instantanément dans cet échange un affrontement. C'était à qui baisserait les yeux le premier. Avec un soupir, je mis fin à ce combat de coqs en entraînant Luis avec moi. Je dus carrément lui forcer la main en le tirant par la manche.

– Ce sera prêt dans une minute, murmurai-je à Nico, polie et discrète.

Surtout, rester polie et distante. Il me fallait traiter Nico comme n'importe quel autre client. Maîtriser cette voix intérieure qui me dictait de lui hurler toute la souffrance qu'il m'avait infligée. Voilà ce que je devais faire.

Je versai le plus calmement possible le contenu brûlant de la cafetière dans la tasse blanche sous les yeux des deux jeunes hommes. Luis tendit la main pour la prendre et laissa volontairement ses doigts frôler les miens. Je savais qu'il l'avait fait exprès. Je le sentais à la posture de son corps, trop près du mien, à la lueur de son regard, un peu coquin, et à l'expression de défi peinte sur ses traits.

Luis déposa le breuvage sur le comptoir et en annonça nonchalamment le prix à Nico.

– C'est plutôt cher, commenta ce dernier sur un ton indifférent, tout en continuant de fixer Luis.

– C'est du café équitable. L'équilibre mondial, ça a un prix, répliqua-t-il d'une manière tout aussi blasée.

Ils jouaient vraiment à la perfection. Deux excellents acteurs.

– Bon, si tu m'expliquais les autres tâches, Luis ?

Il délaissa Nico et me bouscula gentiment de l'épaule en me souriant exagérément.

Je levai les yeux au ciel. Il comprit le message et reprit ma formation là où il l'avait laissée. Je tentai de me concentrer, mais c'était difficile. Nico était assis en face du comptoir et épiait chacun de nos gestes. De plus, Luis jouait les séducteurs accomplis, se penchant sur moi à la moindre occasion, effleurant mon dos de la main quand il le pouvait, repoussant même trop sensuellement une mèche de cheveux qui s'était échappée de mon filet.

Du coin de l'œil, je voyais le visage de Nico s'empourprer. Visiblement, il n'appréciait pas la compétition. C'était bien lui ! Il désirait toujours ce qu'il ne possédait pas ! Et quand il l'avait, il s'en débarrassait !

Lorsque Luis se pencha à mon oreille pour me chuchoter une blague et que je ris nerveusement, c'en fut trop pour Nico qui se leva d'un bond et s'approcha de moi d'un pas déterminé.

– Je peux te parler, une minute ?

Luis répondit à ma place, un sourire des plus arrogants aux lèvres. J'aurais dû être fâchée par son intervention, mais comme allié, il était parfait.

– Elle travaille, mon gars, dit-il.

Si je n'avais pas été aussi tiraillée, j'aurais éclaté de rire. Luis avait seulement deux années de plus que Nico et moi. C'était à peine visible, alors son « mon gars » prononcé gentiment se révélait insultant.

Nico serra les dents, mais ne s'avoua pas vaincu pour autant.

–Je vais t'attendre. On parlera sur le chemin du retour. J'ai l'auto.

Bien entendu, il ne précisa pas que c'était celle de son frère. Je souris intérieurement. Ah ! L'orgueil mâle !

–En fait, on finit plutôt tard ce soir, expliquai-je, presque gênée de m'interposer dans cette conversation qui me concernait pourtant. Mais ne t'en fais pas, Luis va me raccompagner. C'était déjà prévu. On se parlera une autre fois, d'accord ?

Les doigts de Luis enserrèrent les miens. Intimidée, le rouge me monta aux joues, mais je me retins de retirer ma main.

J'avais envie de faire payer à Nico son dernier affront. C'était manquer de maturité, je le savais bien, mais j'étais encore trop blessée pour lui pardonner.

–Vous sortez ensemble ou quoi ?

Le ton était agressif. J'avais rarement vu Nico en colère. Il pouvait être passionné, enjoué, patient, nonchalant, voire irrité, mais je ne l'avais jamais vu faire preuve d'une vraie colère. Presque jamais. La pire scène entre lui et moi avait eu lieu lors de notre premier voyage à Québec, quand il avait compris que je lui avais menti et que nous n'avions aucun endroit où dormir. Ensuite, cela avait été encore plus désastreux lorsqu'il avait découvert que j'avais caché mon escapade à mon père. En gros, il m'avait reproché mon manque de maturité. Il avait eu raison, cette fois-là.

Mais aujourd'hui, je trouvais sa frustration mal placée. Après tout, c'était lui qui m'avait repoussée, et de la plus cruelle façon.

– Ça ne te concerne plus, Nico.

– C'est ça ! Vous sortez ensemble ! Ça fait seulement une semaine que c'est terminé et tu te tapes déjà quelqu'un d'autre ? Tu es vraiment une salope !

Mon sang ne fit qu'un tour. Je le giflai, et une douleur vive s'imprima dans ma paume. J'avais à peine eu le temps de comprendre ce que j'avais fait que Luis bousculait déjà Nico vers la sortie.

Tremblante, je serrai ma main endolorie et je m'enfuis vers la salle de repos. Je m'y serais creusé un trou tant j'avais honte. De Nico. De moi. De ce que nous étions devenus l'un pour l'autre.

Chapitre IX

Muette comme une tombe

Le ciel était gris. Il y avait déjà plusieurs jours que les feuilles d'automne ne crissaient plus sous mes pas. Les pluies avaient fini par en faire un tapis humide. Chaque fois que mes bottes touchaient le sol, j'entendais un léger clapotis, seul son à m'accompagner tout au long de cette marche difficile. À mesure que je progressais, de douloureux souvenirs venaient m'assaillir, mais je ne devais pas m'arrêter.

Arrivée à une croisée de chemins, je pris le côté droit et gravis la pente douce. Au bout de l'allée de gravier, je tournai à gauche. Mes pieds s'enfoncèrent dans l'herbe. Je fis encore quelques pas et m'arrêtai enfin.

–Bonjour, maman.

Je retirai mon écharpe, en fis un coussin et le déposai au pied de la pierre tombale. Je m'assis ensuite, le dos appuyé contre elle. Les larmes coulaient sur mes joues. Je devais puiser au plus profond de moi la force de m'adresser à ma mère sans perdre tous mes moyens. J'essayais de rassembler mes idées, de choisir mes mots et de calmer ma respiration. Quelques minutes s'écoulèrent avant que la tempête en moi s'apaise.

–Il y a longtemps… j'aurais dû venir te voir avant.

Je laissai ma main courir le long de la pierre froide en guise de caresse.

–Si je suis ici, c'est parce que je suis mélangée. Avec Nico, c'est fini. Enfin, je pense. Je ne le comprends plus, je ne sais plus ce qu'il veut. Tout se bouscule parce que j'ai rencontré un autre garçon. Je me demande si je dois essayer de reprendre avec Nico ou de passer à autre chose avec Luis. Lui, il me comprend bien parce qu'il a perdu son père…

Ma voix se brisa. Je levai les yeux au ciel, espérant y trouver le courage de poursuivre. À ma droite, j'aperçus une femme qui fleurissait une tombe. Même si elle essayait de le cacher, elle m'observait. Je ne devais pourtant pas être la seule à venir ici pour parler à un fantôme. Je décidai de chuchoter.

–Tout va de travers. Charles aussi en bave ces temps-ci. J'ignore ce qui le tracasse, mais son comportement est de plus en plus inquiétant. Pour papa… Tu avais raison; il s'occupe bien de nous. Il suit même des cours de cuisine, tu imagines? Et il n'y a pas trouvé que des recettes… Enfin, je le laisserai t'en parler lui-même.

Je ris et m'essuyai la joue avec la manche de mon manteau. La femme aux fleurs était partie.

– Maman, je ne sais pas non plus quoi faire de ma vie. Je n'aime pas mon programme et j'ai l'impression d'aller nulle part. Je veux me rendre utile. J'aimerais que tu sois fière de moi.

Qu'est-ce que j'espérais en venant ici ? Que ma mère allait me souffler à l'oreille, d'une voix d'outre-tombe, la solution à tous mes problèmes ? Je poussai un soupir et appuyai mon visage sur mes genoux. Les sanglots recommencèrent.

– C'était ta mère ? me demanda une voix.

Je levai les yeux et vis la dame aux fleurs devant moi. Je hochai la tête.

– Ne perds pas courage. Ta blessure est encore vive, mais le temps arrange les choses. Une mère qui part, c'est un phare qui s'éteint. On ne sait plus où aller parce qu'il n'y a plus rien pour nous guider. Une mère, c'est irremplaçable.

Cette dernière parole me fit l'effet d'un coup de fouet. Je me levai et récupérai mon échappe.

– Merci, madame.

Elle me fit un sourire bienveillant. Je regagnai le sentier en gravier et retournai à la sortie.

Une fois à l'extérieur, j'attrapai mon téléphone portable. Au bout de deux sonneries, on décrocha.

– Lauri, je suis vraiment content que tu appelles ! Je m'excuse de...

–Tu as perdu le droit de m'adresser la parole, Nico. C'est à ta mère que je veux parler. Elle est là ?

–Mais Lauri, tu pourrais au moins me…

–Elle est à la maison ou pas ?

–Oui, oui, je te la passe.

Sa mère saisit le combiné. Je lui demandai si elle pouvait me rencontrer dans un café. Elle accepta tout de suite. Je m'étais attendue à ce qu'elle hésite un peu, étant donné que Nico et moi n'étions pas en bons termes, mais je la connaissais bien. Elle était si aimable, si attentive aux autres. Pas étonnant qu'elle soit infirmière !

❋

J'avais choisi un lieu de rendez-vous près de chez elle. Comme elle m'accordait déjà une faveur, je n'osais pas lui demander de se déplacer jusqu'à l'autre bout de la ville. Je m'étais commandé un café moka que je savourais pleinement. Je me réchauffais les mains sur le bol débordant de crème fouettée couronnée de flocons de chocolat. Il ne faisait pas très froid, mais la chaleur sur mes doigts était agréable.

Soudain, elle franchit la porte et m'aperçut. Avant d'aller faire la file au comptoir, elle me fit un signe de la main et un sourire chaleureux. Elle agissait comme si tout était normal, comme si je fréquentais toujours son fils et que nous filions le parfait bonheur. Déjà, je ne savais comment la remercier.

Son plateau en main, elle vint me rejoindre et déposa une énorme portion de gâteau devant moi.

–Tu semblais en avoir besoin! me dit-elle avec un petit rire.

–Merci d'être venue. Je ne savais pas à qui demander de l'aide.

–Ça me fait plaisir. Je t'écoute.

Je pris une profonde inspiration et commençai par le début. Je lui avouai que je n'avais pas envie de discuter avec mon père parce qu'il n'était pas doué pour conseiller les gens. Chez nous, ma mère avait toujours eu le rôle de guide, surtout quand il s'agissait de préparer notre avenir à Charles et à moi.

Je décrivis ensuite le désintérêt que je ressentais pour mes cours, le sentiment d'être en marge quand les autres parlaient de leur formation ou de leur futur métier. Je lui expliquai que je voulais servir à quelque chose.

–Tu aimerais devenir infirmière comme moi? C'est pour ça que tu m'as appelée? me questionna-t-elle.

–C'est vrai que tu aides les gens, mais je ne sais pas si le domaine médical m'intéresse. En fait, si je voulais te parler, c'est que, dans mon entourage, tu es celle qui se rapproche le plus d'une mère…

Je baissai la tête et mes yeux se remplirent de larmes.

– Tu m'as traitée comme si j'étais ta fille. Tu m'as ouvert ta maison, tu m'as fait une place dans ta famille et tu t'es inquiétée de moi. Je me suis dit que tu pourrais me comprendre et me faire de bonnes suggestions.

J'attendis quelques secondes, espérant une réponse qui n'arrivait pas. Je m'obligeai à la regarder malgré ma gêne de pleurer devant elle. Je remarquai ses yeux brillants, les traces humides sur ses joues. Elle les essuya du revers de la main et me réconforta.

– Bien sûr que tu peux compter sur moi. Mais si tu me racontais l'histoire depuis le début?

Je lui fis part de mes impressions, de mes incessantes réflexions. J'avais depuis longtemps le sentiment d'avoir changé après la mort de ma mère. Je n'étais plus la même et ne pouvais plus envisager de poursuivre ma vie comme si rien n'avait été bouleversé. Elle demeura pensive quelques instants.

– Il y a un truc qui n'est pas réglé dans ton histoire avec ta mère, Laurianne. Peut-être qu'il y a quelque chose que tu ne comprends pas, que tu ne lui pardonnes pas... peut-être même quelque chose que tu ne *te* pardonnes pas. Tant que tu ne feras pas la paix avec elle et avec toi-même, tu ne pourras pas passer à autre chose.

– Je le sais parfaitement! Si la page était tournée, je ne me sentirais pas aussi mal.

– Voici ce que je te propose. Tu as dit que tu ignorais si mon travail t'intéressait, mais je pense qu'il faudrait quand même que tu expérimentes ce que tu n'as pas pu vivre.

– Qu'est-ce que tu veux dire ? demandai-je, intriguée.

– J'ai une amie infirmière qui travaille au centre de cancérologie de l'hôpital. Tu pourrais t'occuper bénévolement de petites tâches. Si tu rencontrais des patients comme ta mère, tu découvrirais sûrement une autre facette de ce qu'elle a vécu.

– Et si je n'y arrivais pas ? Si la vue de tous ces gens me replongeait dans des souvenirs intolérables ? m'inquiétai-je.

– Ne t'en fais pas. Je vais te référer au centre de bénévolat. Là-bas, on pourra te donner les outils pour bien soutenir des patients gravement malades. Tu veux que je contacte mon amie pour lui en parler ?

C'était là une des décisions les plus difficiles de toute ma vie. Je savais parfaitement ce qu'un oui de ma part viendrait bouleverser chez moi. Les événements me frapperaient de plein fouet, ramèneraient toutes sortes d'images douloureuses et je serais de nouveau au cœur du maelström. En même temps, je n'en étais jamais réellement sortie. J'avais fait semblant, je m'étais camouflée sous des apparences trompeuses.

– Oui, appelle-la. Je n'en peux plus.

Quelques minutes plus tard, je la serrai dans mes bras avant de sortir.

Pendant tout ce temps, elle ne m'avait pas parlé de son fils. Et je la remerciai intérieurement.

Chapitre X

Temps mort

LORSQU'ELLE m'ouvrit la porte, Marilou me sauta immédiatement au cou. Les traces de larmes sur son doux visage m'inquiétèrent davantage que la force de son étreinte.

–Eh! Ça va? Qu'est-ce qui se passe?

–Rien, rien. Je suis contente de te voir.

Je l'observai silencieusement. Elle savait tout comme moi que sa réponse ne tenait pas la route.

–On s'est vues ce matin, Marilou, et tu avais l'air bien. Si tu me disais plutôt ce qui t'arrive?

Comme je m'y attendais, son menton trembla d'abord puis ses lèvres se pincèrent. Elle grimaça, renifla, cligna des paupières, mais malgré tous ces efforts, l'émotion prit le dessus et les larmes jaillirent de nouveau, embuant ses grands yeux.

L'entourant d'un bras réconfortant, je la guidai au salon. À cette heure de la journée, il n'y avait personne pour interrompre nos confidences. C'était une chance de ne pas avoir de cours le mardi après-midi.

Une fois installée, Marilou s'empara de la boîte de mouchoirs sur la table basse, puis se moucha bruyamment. J'attendis patiemment qu'elle se calme et rassemble ses idées. Je la connaissais bien ; lorsqu'elle était trop bouleversée, il lui fallait un temps de réflexion.

–Je viens de passer chez Jérémie, m'apprit-elle.

J'écarquillai les yeux.

–Hein ? Mais pourquoi ?

Elle s'absorba quelques secondes dans la contemplation du tapis du salon, puis soupira.

–Je ne sais pas. Je... Je m'étais dit que j'allais lui rendre les CDs qu'il avait oubliés ici. Et puis j'avais moi aussi quelques trucs que j'avais laissés chez lui et que je voulais récupérer : une trousse de toilette, du maquillage, quelques vêtements...

Elle évitait mon regard. Je soupçonnais que ce n'était pas la seule raison de cette visite chez lui.

–Je te connais, Marilou. Ça faisait longtemps que vous étiez ensemble, Jérémie et toi. J'ai l'impression que tu voulais aussi te réconcilier avec lui. Je me trompe ?

Il y eut d'abord un long silence, puis elle capitula.

–Non, tu as raison, dit-elle dans un murmure. J'avais espéré que c'était seulement une erreur, qu'il regrettait, qu'il voudrait tout reprendre de zéro avec moi.

Cela me rappela Nico. Avait-il le sentiment d'avoir gaffé en me laissant tomber ? M'avait-il insultée par peur que Luis m'éloigne de lui ? J'aurais peut-être dû lui laisser la chance de s'expliquer.

– Quand je suis arrivée chez lui, continua Marilou, il n'était pas seul. *Elle* était là aussi. Ils s'embrassaient sur les marches du perron. Tu dois me trouver stupide !

Les larmes reprirent une fois encore. Mon intention n'était pas de la rendre plus malheureuse, au contraire.

– Je ne te juge pas, Mari. Moi la première, je me remets mal de ce qui s'est passé dimanche. Même après la façon dont Nico m'a traitée, je n'arrive pas à me l'enlever de la tête. Et s'il n'y avait que ça !

Elle releva la tête puis s'essuya les yeux et le nez.

– Tu parles de Luis ?

Je soupirai.

– Oui. Tu vois, avec Nico, je n'ai jamais su où je mettais les pieds. Il est plein de contradictions. Même son apparence ne reflète pas sa personnalité ! Il a des idées arrêtées sur plusieurs sujets, ce qui ne l'a pas empêché de coucher avec moi le premier soir ! Et maintenant, alors qu'il m'a plaquée, il me reproche de courir après quelqu'un d'autre !

Elle ne m'interrompit pas. Je poursuivis donc.

– Avec Luis, c'est différent. Il est plus léger. Il n'aime pas les drames, il veut juste s'amuser, rire et ne s'en cache pas. Même quand il travaille, il y prend plaisir ! En même temps, il ne me donne pas l'impression d'être un profiteur. Tu sais ce qu'il a fait pour moi dimanche ?

Marilou secoua négativement la tête.

– Tu m'as seulement parlé de la scène de Nico.

Un sourire rêveur s'afficha malgré moi sur mes lèvres.

– Après la fermeture, au lieu de me raccompagner chez moi, Luis m'a amenée chez son oncle. Je n'avais pas trop envie d'y aller, il était plus de 23 heures ! En tout cas, lorsqu'on est arrivés là-bas, il y avait une bonne vingtaine de personnes ! Tout le monde parlait en même temps, en espagnol en plus ! Je me suis retrouvée assise sur une causeuse, une canette de boisson gazeuse à la main, à faire la conversation avec une certaine Anna Maria. C'est elle qui m'a expliqué qu'il s'agissait d'une fête improvisée. Un dimanche, à cette heure, tu imagines ? Il y avait des voisins, des amis et j'ai même rencontré la mère de Luis ! Si le but était de me changer les idées, il a bien réussi. Je n'ai pas une seule fois pensé à la dispute de l'après-midi.

Je repris ma respiration. J'avais tout débité rapidement, emballée par le souvenir de cette soirée si vivante. Les gens avaient été sympathiques avec moi, m'incluant dans leur groupe et optant souvent pour le français afin que je comprenne et participe aux discussions.

Un frêle sourire éclaira le visage encore pâlot de mon amie.

–En tout cas, je le trouve très mignon, Luis. Si jamais il ne t'intéresse pas, je le garde pour moi!

Je savais qu'elle blaguait, qu'elle était loin de vouloir s'investir dans une nouvelle relation. Quoi de plus normal? Elle avait passé plus d'un an avec Jérémie. Son commentaire déclencha cependant en moi un certain malaise. Était-ce de la jalousie? Déjà? Non, impossible.

À cet instant, le téléphone portable de Marilou émit un « bip! » signalant l'entrée d'un texto. Lorsqu'elle s'empara de l'appareil pour le consulter, elle fronça ses sourcils.

–C'est qui? demandai-je devant le silence de mon amie. Pas Jérémie quand même!

–Non, non. C'est Anthony.

–Ah!

Je ne savais pas quoi ajouter. Le trouvait-elle trop insistant?

–Il t'appelle souvent? demandai-je afin de me faire une idée.

Elle secoua la tête.

–Non. Il m'a écrit deux fois depuis le party. Je pensais qu'il serait plus... Enfin, pas que je veuille qu'il me harcèle. C'est seulement qu'il n'a jamais caché ses intentions. Alors je m'attendais à... Non. Oublie ça!

Je l'observai d'un autre œil. Mon amie appréciait-elle plus Anthony que ce que j'avais cru?

–Il t'intéresse?

Elle rougit.

–Je viens tout juste de me séparer de Jérémie !

–Et alors ? Il s'amuse bien de son côté, lui ! Qu'est-ce qu'il dit, le message ?

–Anthony me demande si je veux prendre un café avec lui. Il précise « en amis ».

–Pourquoi pas ? En plus, il est déjà ton ami. Je ne vois pas le mal.

–Oui, mais il veut plus.

–C'est vrai, mais tu le connais. Il ne te bousculera pas. Il ne l'a jamais fait. Et tu perds quoi, de toute façon ?

Elle réfléchit un instant et le premier vrai sourire depuis mon arrivée illumina enfin ses traits.

–Tu as raison ! Ça ne m'engage à rien et j'ai vraiment le goût de le voir. Il me fait toujours rire !

–Ça, je le sais !

❋

J'arrivai chez moi vers 15 h 30. Je fus étonnée de découvrir la voiture de mon père garée devant la maison. En ouvrant la porte, ses cris me surprirent davantage. Contre qui s'emportait-il ainsi ?

– Mais qu'est-ce que tu essaies de faire, hein ? hurlait-il. Je ne te reconnais plus ! Comment as-tu pu te transformer aussi rapidement ?

Je n'entendis aucune réponse en retour, mais je savais maintenant que mon père s'adressait à Charles. Sa suspension à l'école n'était même pas terminée. Qu'avait-il bien pu faire cette fois? Ce devait être très grave parce que la voix de papa ne m'avait jamais paru aussi agressive. Angoissée, je me demandai s'il serait capable de perdre le contrôle et d'en venir aux coups avec son fils. Il ne nous avait jamais frappés, mais il n'avait jamais non plus levé le ton à ce point. Je m'avançai donc doucement vers la cuisine où je stoppai net devant la joue enflée de mon frère.

–Papa! Qu'est-ce qui t'a pris? criai-je en me précipitant vers Charles, prête à le défendre.

Ce dernier leva les bras au ciel avec emportement.

–Ce n'est pas moi!

–C'est vrai, confirma Charles. Mais si tu trouves que je fais peur, tu devrais voir l'autre!

C'en fut trop pour mon père qui éclata. Il prit un verre sur le comptoir et le lança à toute volée contre le mur. Figée autant par la peur que par la surprise, je vis mon frère se lever nonchalamment et se diriger à l'étage.

–Pas la peine de casser toute la vaisselle. Je m'en vais dans ma chambre.

Son impertinence eut sur mon père l'effet contraire de ce que j'aurais pensé. Il se rendit au salon, regarda quelques secondes la photo de ma mère sur la console de l'entrée, s'étendit sur le canapé et, un bras sur les yeux, éclata en sanglots.

Son grand corps fut secoué pendant de nombreuses secondes, durant lesquelles je ne sus rien faire de plus que de le regarder fixement, une boule dans la gorge, des larmes sur les joues. Comment avions-nous pu tomber si bas, une fois encore ? Notre période de noirceur ne finirait-elle donc jamais ? N'avions-nous pas décidé cet été que nous arriverions à nous serrer les coudes ensemble et à passer à travers les moments difficiles ?

Mais comment pourrions-nous y parvenir si Charles se mettait de plus en plus à déraper ?

Lorsque mon père se rendit compte que je n'avais pas bougé, il se ressaisit, se passa une main sur le visage et s'assit contre les coussins du canapé. Prudemment, je le rejoignis.

– Qu'est-ce qui s'est passé, papa ? demandai-je du bout des lèvres.

Il eut un rire sans joie.

– Tu te rappelles quand j'ai décidé d'inscrire Charles en karaté pour qu'il apprenne à se défendre ?

– Oui. Il venait d'entrer à la maternelle et se faisait harceler par un autre garçon. C'est ce qui est arrivé ? Quelqu'un s'en est pris à lui et il a répliqué ?

Mon père poussa un soupir.

– Loin de là. C'est lui qui a attaqué.

– Qu'est-ce que tu dis ?

J'étais sûre d'avoir mal entendu. Charles, s'en prendre à quelqu'un ? Ça ne collait pas. Pas plus que d'agresser une fille, d'ailleurs.

–C'est ton frère qui a commencé. Charles s'est rendu à l'école malgré l'interdiction. Il voulait jouer au basket avec ses amis durant le dîner. Pendant la partie, il a perdu le contrôle et a tabassé un autre joueur.

–Mais pourquoi ?

Mon père me regarda droit dans les yeux et, très lentement, trop lentement, il m'expliqua.

–Parce que Charles l'accusait d'être une tapette et d'avoir profité de la partie pour lui toucher les fesses.

Je demeurai sans voix. Mon frère, homophobe ? La situation dégénérait.

–La direction pense l'expulser définitivement de l'école. Il serait transféré. Les parents de l'autre garçon ne savent pas encore s'ils vont porter plainte. Je te jure, Laurianne, je ne sais plus quoi penser de lui. Qu'est-ce qu'on va faire, hein ?

Je remarquai instantanément de quelle manière mon père avait passé du « je » au « on ». Une fois encore, je me retrouvais à porter le fardeau de ma famille. Une fois encore, on me demandait d'assumer le rôle de ma mère.

Écrasée par le poids des responsabilités, je m'affalai moi aussi sur le canapé.

Chapitre XI

Dans l'antre de la Bête

C'ÉTAIT LA TROISIÈME FOIS que j'essayais d'entrer. À trois reprises, j'avais mis ma main sur la poignée, mais je m'étais ravisée. Je me trouvais devant mon plus grand ennemi, ma plus grande peur aussi : la maladie, cette menace qui frappait au hasard et contre laquelle on était impuissant.

Pendant des mois, j'avais fui le cimetière et ce qu'il représentait. Je pensais ainsi évacuer le souvenir de ma mère mourante. Mon adversaire était loin d'être celui que j'avais imaginé. Maintenant, je savais que Chantal avait raison : je devais terminer ce qui aurait dû l'être. Cependant, mon courage semblait avoir déserté.

Le temps s'égrenait lentement. J'aurais dû être à l'intérieur depuis vingt minutes, mais je ne me résignais pas à entrer. Remarquant mon hésitation, deux patients me demandèrent si j'avais besoin d'aide. Prise au dépourvu, je répondis que j'attendais quelqu'un.

Je pensai tout à coup à la mère de Nico, qui s'était portée garante de moi et je me levai.

L'heure n'était plus aux tergiversations. Il me fallait affronter la vie.

J'agrippai la poignée et ouvris la porte. Quelques secondes dans l'entrée furent suffisantes pour que je sois enveloppée de cette atmosphère si particulière qu'on retrouvait dans les hôpitaux, comme si chacun respectait la souffrance des autres. Ici, c'était plus pesant encore, me semblait-il. On aurait dit que les patients étaient déjà condamnés, déjà morts. Comment pourrais-je sourire à ces gens qui allaient peut-être mourir comme ma mère ? L'épreuve me paraissait insurmontable.

La veille, j'avais rencontré la responsable du centre de bénévolat. D'abord, une brève entrevue lui avait permis de connaître mes motivations. Je ne lui avais rien caché de mon histoire, mais pendant tout l'entretien, j'avais joué la jeune fille forte, déterminée, sereine. Ensuite, elle m'avait expliqué le type de tâches que j'aurais à accomplir. Elle avait terminé en insistant sur le caractère particulier de ce type de bénévolat, voulant sûrement s'assurer que je serais en mesure de remplir mon rôle.

– Que puis-je pour vous ? me demanda une infirmière.

Obnubilée par mes peurs, je n'avais pas remarqué que je bloquais le passage.

– Euh ! Je viens faire du bénévolat. Les traitements de chimiothérapie, c'est dans quelle direction ?

Après avoir obtenu le renseignement, je m'engageai dans le couloir de droite. Finalement, cela n'avait pas été si difficile. Cette infirmière m'avait forcée à sortir de ma torpeur et j'avais réussi à mettre un pied devant l'autre. Peut-être fallait-il seulement se lancer sans réfléchir? Cette technique m'avait mal servie dans le passé, mais aujourd'hui, c'était pour une bonne cause.

Après avoir parcouru plusieurs couloirs, j'arrivai enfin au comptoir des infirmières. Je vis l'une d'elles se lever pour aller faire asseoir un homme au crâne chauve dans un fauteuil. L'infirmière avait le teint en santé et de longs cheveux blonds soyeux. J'observais à quel point ces deux personnages étaient différents. Je suivais leurs gestes des yeux, incapable de mettre des mots sur mes impressions.

– Je peux vous aider?

– Oui. Je m'appelle Laurianne. Je viens faire du bénévolat. C'est Chantal Garnier qui m'a référée.

– Mais oui, bien sûr! Je m'appelle Brigitte. Viens que je te montre ce que tu peux faire.

Brigitte me fit visiter l'unité. Elle me montra aussi les équipements et m'expliqua le fonctionnement global d'un traitement. J'étais impressionnée par toutes ces informations. Qu'est-ce qu'un nouveau patient arrivait à saisir dans tout ça? Ça semblait inhumain, irréel… Pourtant, chaque jour, des gens heureux, gentils, recevaient la terrible nouvelle comme on recevrait une bombe en pleine gueule.

Déboussolée, je suivais l'infirmière sans mot dire, en bonne petite automate.

–Pour résumer, poursuivit Brigitte, tu t'assureras que les patients ne manquent de rien : eau et serviettes humides. N'oublie pas les chaises pour ceux qui les accompagnent. Tu peux aussi discuter avec les personnes seules, si elles souhaitent avoir de la compagnie. Si quelqu'un ne se sent pas bien, pose des questions d'ordre médical ou semble en détresse psychologique, préviens immédiatement un membre du personnel. Ça va ?

–Bien sûr. Merci de me permettre de vivre cette expérience.

–Merci à toi ! Ces patients ont besoin de gens sensibles, qui se soucient vraiment d'eux, et ça semble être ton cas. Je te laisse commencer. À tantôt, Laurianne !

Je lui souris timidement et entamai ma tournée.

« Êtes-vous installé confortablement ? »

« Prendriez-vous un verre d'eau ? »

Les gens me renvoyaient un visage reconnaissant et c'était comme du baume sur mon cœur. Un homme me demanda une couverture. J'acquiesçai et me rendis au poste des infirmières. Devant celui-ci, une femme s'installait pour son traitement. Brigitte, qui avait préparé le sac qui contenait sa chimiothérapie, tapota sa main à la recherche d'une veine dans laquelle insérer le cathéter. Je ne voyais aucune trace d'une amie ou d'un membre de sa famille. Je me promis donc de repasser un peu plus tard.

Je revins sur mes pas pour apporter la couverture du monsieur. Un peu rêche, elle était cependant chaude, tout juste sortie du sèche-linge. Quand je la tendis au patient, il s'en recouvrit en souriant d'aise. Ici, on ne pouvait jamais se sentir comme à la maison, mais les couvertures tentaient d'en imiter le confort. À en juger par le visage de cet homme, tout semblait fonctionner. Après m'être assurée qu'il ne lui manquait plus rien, j'allai rencontrer la dame aperçue plus tôt.

Ses yeux étaient clos. Elle devait avoir plus de soixante ans. Je ne fis pas de bruit, mais elle dut se sentir observée puisqu'elle les ouvrit.

–Vous me semblez bien jeune pour être infirmière, jeune fille…

Je m'esclaffai.

–Je suis seulement une bénévole, madame !

–Tant mieux ! Ça fera changement.

–Je peux m'asseoir avec vous pour passer le temps ?

Elle accepta avec reconnaissance. J'allai chercher une chaise. De quoi allais-je bien pouvoir lui parler ? Pour ce que j'en savais, nous avions un seul point en commun. J'avais connu le cancer à travers ma mère, alors que cette femme en souffrait aussi. C'était mince, en plus de ne pas être très joyeux.

Je lui souris. Mon cerveau roulait à toute vitesse, essayant de trouver une solution miracle pour l'égayer. Je me présentai et commençai par un sujet commun et inoffensif.

– C'est une belle journée d'automne aujourd'hui. Au moins, il ne pleut pas. Je déteste avoir les cheveux trempés.

J'aurais voulu ravaler mes derniers mots, tellement ils étaient malhabiles. Je me plaignais de ma coiffure à cette femme qui n'avait plus un poil sur la tête ! Contre toute attente, elle parut se détendre.

– Avant, j'avais une énorme crinière comme la tienne et je n'aimais pas la pluie non plus. Aujourd'hui, je ne supporte plus le vent et le froid sur mon crâne. C'est pour ça que je porte toujours une grosse tuque, dit-elle en effleurant sa tête. Tu as raison, il fait beau ce matin, mais l'automne est surtout gris et ça me déprime un peu.

– Il ne faut pas ! Les jours sont tellement courts durant l'hiver qu'ils passent à la vitesse de l'éclair. Avant même que vous vous en rendiez compte, il fera assez chaud pour boire un café sur votre balcon.

– J'aimerais bien me rendre jusque-là ! soupira-t-elle.

– Soyez positive ! Une fois votre traitement fini, vous pourrez reprendre une vie normale.

Elle demeura muette un instant.

– Tu sais que je reçois de la chimio palliative ?

– Non. Qu'est-ce que c'est ? demandai-je naïvement.

On m'en avait sûrement parlé, mais j'avais reçu tellement d'informations en peu de temps que je n'avais pas retenu celle-ci.

– C'est pour améliorer la qualité de vie des patients pour qui on ne peut plus rien.

Pendant quelques secondes, je fus incapable de lui répondre quoi que ce soit. Je sentis les larmes venir et je les chassai bravement. Cette femme vivait déjà une épreuve difficile, elle n'avait pas besoin de consoler une jeune fille en pleurs. Je me devais d'être forte.

– Je suis sûre que vous avez vécu des étés mémorables.

Je disais n'importe quoi, dans le seul but de détendre l'atmosphère. Elle sourit.

– En effet. À une certaine époque, je voyageais très souvent. J'ai accumulé un tas de beaux moments.

Elle se perdit dans ses souvenirs. Je lui demandai de m'excuser et me rendis aux toilettes pour m'enfermer dans une cabine. Enfin seule, je pus laisser libre cours à la peine qui me submergeait. C'était tellement injuste ! Cette femme avait-elle un mari ? Des enfants ? Les avait-elle prévenus que son cas était désespéré ? Cette femme était ma mère. Je me reconnaissais dans son histoire et j'en souffrais.

Mes pleurs ne faiblissaient pas. Je ne pourrais jamais prendre soin de ces gens. La douleur était trop profonde, trop enracinée en moi pour que je puisse en faire abstraction et être là pour eux.

À ce moment-là, j'entendis le grincement de la porte. J'essayai de contenir mes sanglots.

–Laurianne? appela une voix inconnue.

La surprise me coupa le souffle.

–Laurianne, Mme Picard se demandait où tu étais passée. Elle apprécie vraiment ta compagnie. Est-ce que tout va bien?

–Oui, oui, ça va.

–S'il te plaît, sors de la cabine.

Je retirai le loquet et m'avançai en fixant le plancher. Je levai brièvement les yeux et vis qu'il s'agissait de l'infirmière blonde qui avait pris soin du monsieur chauve.

–Je sais que ce n'est pas facile de travailler ici. Certains gagnent leur combat alors que d'autres le perdent. Ça fait partie de la vie.

–Je sais que vous avez raison. Certains guérissent, mais ils sont où? Je ne pense pas que je pourrai continuer.

L'air résigné et confiant à la fois, l'infirmière porta la main à son front et tira sur ses cheveux. La luxuriante chevelure blonde fit place à un crâne recouvert de duvet épars.

–Les autres, je ne sais pas, mais ici, il y a moi. Je suis une survivante. Ça ne finit pas toujours mal, Laurianne.

Ébahie, j'observai son visage en santé, ses formes généreuses, son sourire. Elle ne ressemblait en rien à ma mère qui avait fini sa vie avec un teint gris, des traits tirés, un sourire éteint et une silhouette maigre.

– Ce que tu fais est très bien, Laurianne. Tu ne dois pas laisser tomber Mme Picard et tous les autres patients que tu rencontreras. Ils ont besoin que d'autres soient là pour eux. Des gens comme toi, que le cancer a fait souffrir, mais qui ont choisi de donner aux suivants.

Les larmes aux yeux, je parvins à sourire.

– Mme Picard t'attend. Je lui ai dit que tu reviendrais. Je peux compter sur toi ? demanda-t-elle en replaçant sa perruque.

– Oui, j'y retourne.

– Ça fait plaisir à entendre. Si tu as besoin de moi, je serai au poste des infirmières.

– Merci.

Je sortis de la pièce, mais au bout de quelques pas, je rebroussai chemin. Je poussai la porte de la salle de bain et me tins dans l'entrebâillement.

– Je suis désolée, je ne vous ai pas demandé votre nom.

– Je m'appelle Mélanie.

⁂

Les yeux rougis, je revins devant Mme Picard. Je pris le temps de lui expliquer pourquoi je m'étais absentée si longtemps. Rassurée, elle m'invita à me rasseoir.

– Pourquoi vous ne me parleriez pas un peu de vous ? proposai-je.

– Tu aimerais que je te raconte les mauvais coups que je faisais lorsque j'étais religieuse ? suggéra-t-elle avec un air de conspiratrice.

–Vous avez été religieuse ? Vous n'avez pas l'air sage du tout ! la taquinai-je.

Elle rit. Un immense bonheur se répandit dans tout mon être.

–Non, tu as raison ! C'est pour ça que j'ai quitté le couvent à vingt et un ans. Il y a une fois où…

Je l'écoutai avec une joie manifeste me raconter ses histoires de jeunesse qui lui faisaient oublier sa maladie pour un court instant. À vrai dire, moi aussi, je fus transportée ailleurs, dans ces années où elle était en pleine forme.

Nous fûmes interrompues par Mélanie qui vint libérer Mme Picard de son cathéter. Après l'avoir aidée à enfiler son manteau, je lui demandai si quelqu'un venait la chercher. Elle me dit qu'on devait l'attendre dans l'entrée. Je lui offris de la reconduire en fauteuil roulant et elle accepta.

En marchant dans les couloirs, je remarquai de nouveau ce faux silence qui m'avait tant indisposée à mon arrivée. Je n'avais pas compris ; ce n'était pas celui des condamnés. C'était une minute de silence éternel en signe de respect pour tous ces valeureux combattants, qui n'abandonnaient pas, même s'ils n'allaient peut-être pas voir le prochain printemps.

Je quittai le centre de cancérologie à 17 heures, la tête en paix et enfin positive. Je serais de retour très bientôt, pour Mme Picard et pour tous les autres.

Je me rendis au café pour assurer le quart de soir. À mon arrivée, je vis que Luis avait déposé un message pour moi dans mon casier. Il me souhaitait bonne soirée et disait avoir hâte de me voir en classe le lendemain.

Durant tout ce temps, je servis les clients avec le sourire, de façon consciencieuse. Je voyais enfin les gens autour de moi. Je ne les regardais plus à travers les lunettes de l'égoïsme.

Chapitre XII

Confiance aveugle ?

— Tu soupes avec moi ?

Charles leva la tête, me dévisagea quelques secondes, puis retourna à la lecture de sa bande dessinée. Comme il avait été privé de téléphone, d'ordinateur et de télé par notre père, il s'était tourné vers des loisirs moins technologiques pour occuper son temps libre.

Aucune réponse ne franchissant ses lèvres, je pris son silence pour un non. Déçue, je redescendis au rez-de-chaussée. Mon père suivait son cours de cuisine, mon frère boudait une fois de plus dans sa chambre et moi, j'allais devoir manger seule, ce que je détestais.

Que faire ? Marilou se trouvait à son cours de yoga, Anthony était au cinéma avec son cousin et je ne parlais plus à Nico.

Une idée me traversa l'esprit, mais je la repoussai. C'était ridicule. Luis travaillait avec son oncle ce soir. Je l'avais vu sur l'horaire. Mais peut-être ne fermeraient-ils pas le café ensemble…

Pleine d'espoir, je pris mon téléphone et envoyai un texto à Luis. Au moment même où j'appuyais sur la touche d'envoi, je me traitai de tous les noms. Pourquoi avais-je agi ainsi? Avais-je envie de le voir parce qu'il était le dernier recours à mon problème de solitude – auquel cas j'étais une fois encore égocentrique – ou bien désirais-je vraiment avoir une relation amoureuse avec lui?

Il me plaisait bien, de plus en plus même. Il partageait dorénavant ses heures de lunch avec Marilou et moi, puis s'assoyait à mes côtés dans le cours de méthode quantitative. Chaque fois que son bras frôlait le mien sur la table de travail, j'en avais des frissons. Je me demandais s'il n'approchait pas volontairement sa chaise trop près de la mienne. En tout cas, je recherchais moi-même son contact.

J'en étais à ces réflexions lorsque mon téléphone bipa. Le message qui s'afficha à l'écran fit manquer un battement à mon cœur.

Je termine dans dix minutes. C'est mort, ce soir. Sushi ?

Je me dépêchai d'accepter et passai les trente minutes suivantes à tourner en rond dans la cuisine, à m'observer dans le miroir, à retoucher mon maquillage, à me recoiffer. Lorsque, enfin, la sonnette de l'entrée retentit, je m'étais déjà changée trois fois. Excitée comme une puce, je me précipitai et j'ouvris la porte à la volée.

–Des sushis pour madame! Et c'est moi qui invite! lança Luis en me présentant un sac rempli de contenants de plastique.

Il avait comme toujours un sourire éclatant. Mon estomac se contracta. Comment avait-il pu me laisser indifférente lors de nos premières rencontres? Je voyais maintenant tout ce que j'aurais dû remarquer: sa peau mate sans imperfection, son corps solide et sensuel, ses grandes mains habituées au travail...

– Ça ne va pas? me demanda-t-il soudain.

Je me secouai. Je devais avoir une tête bien étrange.

– Non, tout est parfait. Wow! Tu en as pris pour une armée!

Il entra et déposa un baiser sur ma joue. Son parfum anesthésia toute autre pensée.

– Je ne savais pas ce que tu aimais. Alors, je n'ai pas pris de chance!

Sans plus de cérémonie, après avoir retiré ses chaussures et son manteau, il se fraya un chemin dans la maison et déposa la nourriture sur la table de la cuisine. Je le suivis, fascinée. Comment pouvait-il entrer ainsi dans une maison qu'il ne connaissait pas sans pour autant donner l'impression d'être impoli? C'était ce qui était épatant chez lui. Il s'était d'abord insinué dans ma conversation avec Marilou, tout en paraissant ne pas avoir cherché à l'écouter; il m'avait frôlée et touchée des dizaines de fois, mais sans donner l'impression d'être déplacé; il avait aussi clairement provoqué Nico, mais tout en douceur et sans s'énerver. Ce garçon me fascinait vraiment.

Je le regardai sortir des verres et des ustensiles comme s'il avait été maintes fois accueilli chez moi. Je m'approchai pour l'aider, nos bras se rencontrèrent, il me sourit. C'était comme au café, comme au cégep, une sorte de flirt dans l'air qui me faisait du bien.

Une fois installés à la table, la conversation démarra tout doucement. J'étais heureuse de ne pas passer la soirée seule. Je l'aurais serré dans mes bras pour avoir répondu à mon appel, mais ce n'était pas encore le moment. Entre nous, tout était léger, facile, même nos confidences les plus tristes. Je savais qu'il y aurait une évolution de notre amitié ce soir, ça se sentait, ça coulait même de source, mais je ne voulais pas en être l'instigatrice. Je voulais laisser les choses venir à moi.

Lorsque nos ventres furent bien remplis, je servis le vin. Je me dis que mon père ne s'en apercevrait peut-être pas. Nous nous installâmes au salon. Luis alluma le téléviseur, mit une chaîne musicale et m'attira contre son épaule. Je me laissai aller, tout semblait si naturel.

L'instant d'après, ses lèvres se posèrent sur les miennes. Je m'y attendais et je les accueillis avec plaisir. Elles étaient douces, charnues, sensuelles, tout comme lui. C'était vraiment différent des baisers que j'avais connus avec les autres garçons. Il y en avait eu des romantiques, des passionnés, des mécaniques. Celui-ci était difficile à décrire. Tout ce que je savais, c'était qu'avec Luis, je n'avais pas envie de presser les choses. Je savourais simplement toutes les sensations que son contact faisait naître en moi. Il prenait le temps de caresser ma langue de la sienne et ses mains se baladaient doucement dans mon dos sans chercher à aller plus loin. Ce baiser, c'était du Luis tout craché : rien de sérieux, que du plaisir partagé.

– Le vin goûte encore meilleur comme ça, me susurra-t-il.

– Hum ! répondis-je en mordillant sa lèvre inférieure.

J'entendis en sourdine la sonnerie du téléphone dans la maison, mais il était hors de question que je repousse Luis pour répondre. Ceux qui voulaient me parler connaissaient mon numéro de cellulaire.

– Lauri ! C'est pour toi ! me cria Charles du haut de l'escalier.

– Prends le message, chuchotai-je, trop prise dans le tourbillon de sensations que Luis me procurait.

Ce fut une erreur. Charles ne m'entendit pas et nous rejoignit au salon, le téléphone à la main. Luis se sépara de moi sans même faire preuve de mauvaise humeur et salua mon frère.

– C'est Nico qui va être content d'apprendre ça ! me dit Charles en me lançant l'appareil sur les genoux.

Encore troublée, je ne compris pas l'allusion.

– Nico ? Mais pourquoi tu me parles de Nico ?

–C'est lui au téléphone.

Charles croisa les bras avec un sourire arrogant et regarda Luis.

Je bouchai immédiatement le combiné et regardai l'objet avec effarement. Comment ? Depuis quand Nico téléphonait-il à la maison ? La panique dut se lire dans mes yeux, car Luis se leva.

–Bon, je vais rentrer, il y a un cours demain. Merci pour... la petite soirée !

Je rougis.

–Non ! Reste. Je... Je vais lui dire de rappeler une autre fois.

Je ne voulais pas que ce moment merveilleux se termine de cette façon. Luis m'observa en silence avant de s'approcher et de m'embrasser longuement.

–Tu as encore des choses à régler avec lui. Quand le champ sera libre, fais-moi signe. J'adore tes baisers et je n'ai pas envie de m'en passer...

Mon frère manqua s'étouffer, mais moi, je ris.

–D'accord. À demain.

Sur un petit signe de tête, il ouvrit la porte et disparut dans la nuit. Je restai seule avec Charles, des interrogations plein la tête.

–Arrête de sourire comme une imbécile. Je te rappelle que ton ex attend !

Les paroles de mon frère me ramenèrent à la réalité. Je fixai une fois de plus le téléphone et me rendis compte que ma main ne bloquait plus le microphone. Depuis quand ? Qu'avait pu entendre Nico ?

– Excuse-moi, dis-je d'une petite voix, incertaine de ce qu'il me voulait.

J'avais peut-être embrassé Luis, il n'en demeurait pas moins que le souvenir de Nico faisait resurgir toutes les émotions qui y étaient liées.

– Ça va, marmonna-t-il. À ce que je vois, je te dérange. C'est *lui*, c'est ça ?

Sa manière d'insister sur le pronom *lui* ne permettait aucune confusion.

– Oui et puis ? Je ne te dois rien. C'est toi qui as rompu. De toute façon, tu me prends déjà pour une « salope » alors…

Je pris plaisir à accentuer le mot qui m'avait blessée. En réponse, j'eus droit à un profond soupir.

– Arrête, Laurianne. J'étais fâché. Je ne m'attendais pas à ce que tu me remplaces si vite. Je pensais être important pour toi.

– Comme je l'étais pour toi, j'imagine ? répliquai-je, sarcastique.

Autre soupir.

– Justement… J'ai… J'ai l'impression d'avoir fait une erreur. Je… Eh ! Merde ! Je ne sais pas comment te l'expliquer.

– Essaie toujours, répondis-je remplie d'espoir.

D'espoir ? Pourquoi ? Même s'il s'excusait, ça n'effaçait en rien la manière dont il m'avait laissée tomber.

–J'ai vraiment l'impression de m'être trompé. Après notre nuit à Québec, je me disais que ça n'aurait pas dû être si étrange entre nous après avoir fait l'amour. Mais maintenant… Maintenant, je me dis que c'était peut-être parce que notre relation avait toujours fonctionné à l'envers, qu'en voulant la rendre plus normale, on avait forcé les choses. Peut-être qu'elle aurait dû continuer comme elle avait commencé. Tu comprends?

Oh! oui, je comprenais. J'y avais même déjà songé. Nico continua d'un ton persuasif.

–Je veux que tu me donnes une chance, Laurianne. S'il te plaît, laisse-moi te prouver que je tiens vraiment à toi.

Je demeurai silencieuse. Était-il sincère ou seulement intéressé par le défi que représentait ma reconquête? Était-il à ce point possessif qu'il ne pouvait accepter qu'un autre garçon s'intéresse à moi? Je ne savais plus quoi en penser. J'avais la désagréable impression que l'histoire se répétait à l'infini. Puis, je me remémorai le baiser de Luis, si simple, si envoûtant.

–Tu as vraiment du culot, Nico! Tu ne m'as pas seulement laissée, tu m'as jetée comme si je n'avais jamais eu la moindre valeur à tes yeux. Comment je pourrais te croire?

J'entendis un raclement de gorge. Nico tentait-il d'avoir l'air remué ou l'était-il réellement? Si je décidais de retourner avec lui, en serait-il toujours ainsi? Douterais-je toujours de ses intentions?

Je repensai une fois encore à Luis.

– J'ai besoin de temps pour réfléchir, conclus-je. Je te rappellerai.

– Mais…

Je raccrochai. Au même moment, mon père ouvrit la porte de l'entrée, sa nouvelle conquête accrochée au bras.

– Salut, Laurianne, me dit-elle en lâchant instantanément mon père.

Il fallait lui accorder cela, elle ne semblait pas vouloir envenimer la situation.

– Salut *Gwendoline*, répondis-je en me levant pour quitter le salon.

Avant de monter à ma chambre, j'eus le temps de voir son air attristé. J'avais volontairement prononcé son nom au complet. Mon père et moi avions peut-être enterré la hache de guerre au sujet de cette relation, mais mon cœur n'était pas encore prêt à faire une place à cette femme.

Chapitre XIII

Caucus

–Ça s'est bien passé avec Anthony?

–Oui, oui, me répondit Marilou, évasive.

Comme elle ne me donnait pas de détails, je l'observai, le sourcil levé.

–Qu'est-ce que tu veux que je te dise? râla-t-elle. Je ne sais pas si c'est une bonne idée de me rembarquer dans une relation sérieuse aussi tôt. En plus, qu'est-ce qui me prouve qu'il est sincère?

–Marilou! m'exclamai-je, offusquée. Il rêve de toi depuis plus d'un an. Tu es vraiment de mauvaise foi quand tu veux!

–Tu peux bien parler, Laurianne St-Onge! Toi aussi, tu as le pied sur le frein avec Luis!

–Ce n'est pas pareil! bredouillai-je. Luis, je ne le connais pas beaucoup, je ne suis pas sûre de ses intentions. Ce n'est pas du tout le cas d'Anthony. À moins qu'il ne t'intéresse pas, hasardai-je.

–Ce n'est pas ça, Lauri. Après ce qui m'est arrivé, je n'arrive plus à faire confiance aux gars.

Nous nagions dans les mêmes eaux troubles. Le manque de confiance, la peur, l'incertitude venaient brouiller notre vision des choses. Solidaire, je serrai mon amie contre moi. Nous demeurâmes ainsi de longues secondes. Marilou m'empêchait de partir à la dérive.

–Merci, Lauri. Je ne sais pas ce que je ferais si tu n'étais pas là.

Je me sentais aussi perdue qu'elle, sinon davantage, et le chagrin menaçait de m'envahir de nouveau.

Je repensais sans cesse à ma conversation de la veille avec Nico et au baiser envoûtant de Luis. Comme je ne voulais jouer dans le dos de personne, je les avais donc soigneusement évités. Par chance, je ne travaillais pas ce soir et je m'étais terrée à la bibliothèque à l'heure du dîner, repoussant la discussion que j'aurais dû avoir avec Luis.

Pour l'instant, je devais arrêter de m'apitoyer sur mon sort et être là pour mon amie. Mes soucis devraient attendre.

–Tu es fantastique, Marilou. Tu mérites ce qu'il y a de mieux.

Soudain, un « bip ! » se fit entendre. Marilou avait reçu un texto.

Tu serais libre immédiatement ?

–Ça vient d'Anthony, m'informa mon amie en me montrant le message.

–Tu as envie de le revoir ? lui demandai-je.

Elle semblait complètement démotivée.

–Pas maintenant. Je resterais cloîtrée à la maison jusqu'au printemps ! Je comprends les animaux qui hibernent !

Elle appuya sur « Répondre » et écrivit à Anthony qu'elle était déjà avec moi. Ainsi, il ne risquerait pas de mal interpréter son refus et elle pourrait accepter une prochaine invitation.

Le téléphone bipa de nouveau. Marilou consulta l'écran. Son expression était perplexe.

– Regarde, me dit-elle en me tendant son appareil.

Ça tombe bien ! Regardez par la fenêtre. Votre guide vous attend. Suivez les instructions et surtout… amusez-vous !

– Qu'est-ce que tu attends ? m'exclamai-je, intriguée et excitée à la fois.

Nous nous ruâmes toutes les deux au rez-de-chaussée pour voir ce qui se trouvait devant la porte. Marilou l'ouvrit à toute vitesse. Une limousine blanche était stationnée dans l'entrée. J'étais aussi étonnée que mon amie, même si je savais qu'Anthony avait les moyens d'organiser de pareilles manifestations de ses sentiments.

– Tu viens ? demandai-je en mettant mes bottillons et mon manteau.

– Attends, Laurianne ! Ce n'est pas un peu exagéré ? Qu'est-ce qu'il va exiger de moi ensuite ?

– Rien du tout, Mari ! Il veut juste que tu passes du bon temps. Allez ! Ose dire que ça ne nous fera pas de bien, un peu de folie ! De toute façon, il a déjà payé et si on n'y va pas, ça ne profitera à personne. Arrête un peu d'être rabat-joie ! Je serai avec toi, qu'est-ce que tu risques ?

Elle n'arrivait pas à se décider. D'un geste de la main, je l'encourageai à s'activer. Elle céda finalement et me suivit après s'être habillée rapidement.

–Bonjour ! Où nous emmenez-vous ?

–Ah ! Vous verrez ! lança le chauffeur, énigmatique, en nous tenant la portière pour que nous puissions nous installer.

Marilou s'assit avec un air renfrogné.

–Souris ! l'incitai-je. On va bien s'amuser.

–Ouais, tu parles ! Comme si j'avais la tête à ça !

Puisqu'elle avait son air des mauvais jours, je décidai de ne rien répliquer. J'étais convaincue que ce serait une sortie géniale. Je connaissais Anthony depuis plusieurs années ; il savait vraiment comment profiter de la vie et avait toujours de bonnes idées.

La limousine prit le chemin de l'autoroute et fila à bonne vitesse pendant une quinzaine de minutes. Quand elle emprunta une sortie, je compris que le chauffeur nous emmenait au centre-ville. La voiture ralentit enfin et s'immobilisa.

Quelques secondes plus tard, la porte s'ouvrit et l'homme nous montra un bâtiment : SkyVenture. Je n'y avais jamais mis les pieds.

–Tu es déjà venue ici ? demandai-je.

–Non. Toi ?

–Non, mais c'est une bonne idée. Tu as de l'argent ?

–Non.

Je poussai un soupir. La sortie aura été de courte durée.

– Donnez votre nom à l'entrée, nous dit alors le chauffeur. Vous êtes invitées. Je vous attendrai ici.

– Merci, souffla Marilou, émerveillée.

Se laissant enfin gagner par l'euphorie, elle se précipita pour entrer. Je la suivis. Nous riions comme des gamines. Marilou poussa la porte et se dirigea au comptoir d'accueil. Elle donna son nom. L'employée nous indiqua où aller et remit une lettre à mon amie. Marilou ouvrit l'enveloppe et lut.

Chère Marilou,

Tu es trop jolie pour être malheureuse. Laisse-toi emporter par la sensation de liberté qu'on peut ressentir en plein vol.

Anthony

xxx

Mon amie glissa le message dans son sac à main. Elle me regarda et je vis le grand sourire qu'elle arborait. Les yeux brillants, elle m'invita à la suivre jusqu'à la salle de classe.

Après avoir posé nos questions durant la formation d'usage, l'instructeur nous laissa observer des gens en train de voler. Tout autour de nous, il n'y avait que des figures souriantes. Ce changement d'atmosphère ne pouvait que nous être bénéfique.

Je passai la première. J'avais enfilé ma combinaison bleue et je me préparais à vivre une expérience inoubliable : la sensation d'être... en chute libre.

Je montai dans le tube et attendis avec impatience et appréhension. J'entendis soudain le son du vent qui enflait et, tout doucement, mon corps s'éleva dans les airs. J'écartai bien mes bras. Au début, j'avais peur, mais, rapidement, j'éclatai de rire, soulagée de me sentir si bien. Les mots me manquaient. J'avais hâte que Marilou goûte à ce bonheur.

Au bout de deux minutes, la gravité reprit ses droits et je laissai la place à mon amie. Je la pressai de faire plus vite. Dès qu'elle s'envola, elle laissa échapper un grand rire. Marilou cria à s'en déchirer les cordes vocales. La vue de ce spectacle m'émut et une larme de bonheur mouilla ma joue.

Ensuite, je me préparai pour le deuxième tour. J'en profitai au maximum. Je savais que Marilou aussi était reconnaissante envers Anthony. Il était impossible de broyer du noir dans un tel contexte et il le savait. Il avait voulu lui remonter le moral et avait réussi.

Après avoir retiré nos combinaisons, nous remerciâmes notre instructeur. À la sortie, comme convenu, la limousine nous attendait.

– J'imagine qu'il est inutile de demander où on va ? hasarda Marilou.

– Je vois que vous avez compris le principe. Tenez, c'est pour vous, dit le chauffeur en tendant une nouvelle lettre.

Après avoir pris place dans le véhicule, Marilou ouvrit le message.

Belle Marilou,

Je suis sûr que tu souris maintenant. J'espère que ma surprise t'a ouvert l'appétit.

Anthony

xxx

–Tu vois ? la rassurai-je. Il veut seulement que tu passes une bonne soirée.

–Oui, je sais. Mais ce n'est pas un peu trop ? Ça va lui coûter combien ?

–Qu'est-ce qui te dérange exactement ? Anthony a les moyens de payer tout ça et je le connais assez pour savoir qu'il ne veut pas t'acheter avec des cadeaux. Il veut ton bonheur. Pense à le remercier plus tard, c'est vraiment quelqu'un de bien.

–Je sais, Laurianne, mais je suis quelqu'un d'ordinaire. Il me semble que c'est beaucoup.

–Tut ! Tut ! Tu ne vas pas attraper ma maladie ! Ne sabote pas ce que tu as, c'est précieux. Si Anthony ne t'intéresse pas, dis-le-lui, un point, c'est tout. Il ne t'en voudra pas. Sinon, plonge !

Songeuse, Marilou se perdit dans la contemplation du paysage qui défilait devant ses yeux. Je la laissai à ses réflexions. Pendant les deux dernières heures, mon esprit n'avait pas été encombré par les images de Nico et de Luis. La sensation d'avoir le cœur à l'envers s'était estompée. Enfin !

La limousine s'arrêta. Nous attendîmes que le chauffeur nous ouvre et, une fois sorties, nous entrâmes dans le restaurant. Marilou donna son nom et le serveur nous conduisit à la table qu'Anthony avait réservée.

À voir l'étendue de la salle, l'établissement ne pouvait recevoir que peu de clients à la fois. Le serveur amena une bouteille de vin rouge qu'il ouvrit en deux temps trois mouvements. Le son du liquide qui coulait dans nos coupes marié au décor pittoresque créa une ambiance des plus chaleureuses. Marilou me sourit avant de lever son verre à notre santé.

L'employé nous remit les menus. Chaque fois où elle se retrouvait dans un restaurant chic, mon amie avait envie de tout goûter.

Après avoir changé d'idée cinquante fois, elle opta pour un jarret d'agneau. Je fis également mon choix et une joyeuse discussion s'engagea. Marilou évoqua notre repas de l'été précédent à *La Cage dorée*, ce qui me fit rire aux larmes. Le vin aidant, nous continuâmes à parler de sujets légers et agréables.

Les assiettes arrivèrent au bout d'une trentaine de minutes. Nous mangeâmes avec bon appétit, momentanément libérées du poids de nos problèmes.

Tout à coup, j'entendis le « bip ! » annonçant l'arrivée d'un texto. Marilou agrippa son sac à main et sortit son appareil. Elle me le tendit quand elle eut terminé sa lecture.

Alors, bien mangé ? J'espère que tu as aimé ta soirée. Salue Lauri de ma part. Quand vous aurez terminé, le chauffeur vous ramènera. Si tu as du temps libre en fin de semaine, écris-moi. xxx

Chapitre XIV

Le choix

EN CHEMIN pour le travail cet après-midi-là, je me sermonnais vertement. Quelques heures plus tôt, j'avais découvert deux messages sur mon téléphone : l'un de Nico, l'autre de Luis. Le premier me demandait si j'avais eu le temps de réfléchir, le deuxième me souhaitait gentiment bonne journée.

Lorsque l'autobus me laissa devant l'arrêt du café, la panique me gagna et je respirai profondément pour me calmer. Que devais-je faire ? Les paroles de Nico tournaient en boucle dans ma tête, mais je ne pouvais pas ignorer ce que j'avais éprouvé dans les bras de Luis.

La sonnerie de mon portable coupa court à mes pensées. Le nom de Marilou s'affichant à l'écran, je décrochai.

–Eh ! Comment s'est terminée ta soirée ? lui lançai-je en prenant un ton enjoué.

–Anthony a pris le dessert avec moi. Il a insisté sur le fait que je ne lui devais rien du tout. C'est vraiment quelqu'un de bien.

–Tu vois !

–Il m'a dit que si je ne voulais pas aller plus loin, ce n'était pas grave, qu'il souhaitait seulement que je sois heureuse.

–Qu'est-ce que tu lui as dit ?

–Que j'étais d'accord de le revoir cette semaine.

–Je suis contente pour toi, essayai-je de me réjouir.

–Et toi ? Tu t'es enfin décidée ?

–Pas vraiment. Écoute, on s'en reparlera plus tard, je suis un peu pressée.

Je raccrochai en lui promettant de la rappeler. Devant moi se trouvait le café. Encore indécise, j'en franchis tout de même le seuil. À l'intérieur, Luis m'accueillit en souriant. Une fois mes effets personnels déposés à l'arrière, je le rejoignis.

–Salut ! me dit-il simplement. Prête pour la cohue ? C'est aujourd'hui que débute notre spécial desserts. Il va y avoir du monde, je te le jure !

Puis, il alla nettoyer les tables et me laissa m'occuper de la caisse.

Je le fixai. Il avait l'air de se ficher de ne pas m'avoir vue la veille. Il ne me questionnait même pas à propos de ma conversation avec Nico ou du fait que je n'avais pas donné suite à son message du matin.

–Je vais prendre un grand caffè latte au caramel, s'il vous plaît, me dit un homme au comptoir.

–Pour emporter ou pour ici ?

Il me regarda comme si j'avais posé une question complètement stupide.

–Qu'est-ce que ça change ?

Je sortis les trésors de patience que je camouflais bien loin au fond de moi.

–Si c'est pour emporter, je vous donne un gobelet de carton. Si c'est pour ici, vous aurez droit à une tasse en porcelaine.

–Vous pourriez donner des gobelets à tout le monde, ce serait bien plus simple !

Je respirai un bon coup. À croire que cet homme n'était jamais sorti de chez lui !

–Par souci pour l'environnement, nous préférons éviter la surconsommation de carton.

–C'est complètement débile, ça. Vos tasses, vous devez les laver. Ça prend du savon, de l'eau et de l'électricité. Ça pollue tout autant.

L'irritation commençait à me gagner. Cherchait-il à me provoquer ?

–Laurianne, donne donc à ce monsieur un gobelet de carton, me suggéra Luis en passant derrière moi. Il pourra le boire ici ou ailleurs. Ça vous va ? demanda-t-il à l'homme.

–Oui, ça me va, répondit l'autre d'un air mécontent.

Je m'exécutai, tout en ayant pleinement conscience de la main de Luis qui avait frôlé mon dos.

–Laisse faire ce gars. Il a peut-être eu une mauvaise journée, me chuchota-t-il. Il ne t'en veut pas.

Sa bouche était tout près de mon oreille et un frisson me parcourut. Il dut le sentir, car son rire résonna doucement alors qu'il s'écartait pour retourner à ses tâches.

Tout au long de la soirée, ce fut ainsi. Quelques frôlements, des regards appuyés, mais rien qui put me laisser croire à plus qu'un flirt. Ce qui était normal, non? Nous commencions tout juste à nous fréquenter.

« Mais ensuite? » ne cessait de me harceler ma petite voix intérieure. En effet, que se passerait-il ensuite? Luis était-il du genre à s'amuser avec les filles sans souhaiter d'attache? Peut-être. Ça cadrait bien avec sa personnalité. Liberté. Plaisir. Voilà ce qu'il recherchait avant tout. Et moi? Qu'est-ce que je voulais? Avec Nico, j'avais vécu l'inverse. Lui, il s'était tout de suite accroché. Moi, j'avais été trop perdue pour même y penser.

–Tu réfléchis trop, me dit Luis, alors que je fermais la porte derrière le dernier client.

Il se coula derrière moi et me donna des baisers dans le cou. Il était 22 heures passées, j'étais fatiguée, mais je me laissai faire, trop heureuse de retrouver sa chaleur. Comme la dernière fois, ses caresses étaient lentes, envoûtantes. C'était ce dont j'avais besoin.

Mais les remords m'assaillirent. Je me retournai et le repoussai doucement.

–Je voudrais te parler de quelque chose.

Il sourit.

–J'imagine que tu veux me dire que ton Nico souhaite reprendre avec toi.

– Oui… C'est à peu près ça…

Il se rapprocha de nouveau et planta son regard dans le mien.

– Et toi ? Qu'est-ce que tu veux ?

Je le fixai, moi aussi. Au fond de ses iris presque noirs brillaient de petits éclats dorés qui m'hypnotisaient.

– Je ne sais pas.

Son sourire s'élargit.

– C'est un début ! Je m'attendais à pire !

Un rire m'échappa.

– À ton tour maintenant. Toi, qu'est-ce que tu veux ? lui demandai-je.

Il se rapprocha tellement que son corps se colla tout entier contre moi. Son souffle mentholé ne fit plus qu'un avec le mien.

– Toi, bien sûr.

Il m'embrassa longuement, comme seul lui savait le faire. Dans ce baiser-là, je sentis tout son désir, mais encore une fois, il ne brusqua rien.

Luis avait omis de répondre entièrement à ma question. Je ne savais toujours pas s'il souhaitait entreprendre une relation sérieuse ou s'il recherchait seulement une aventure. Pour être honnête, je ne m'en souciais plus. J'étais heureuse, c'était simple, et, en définitive, cela me convenait pour le moment. Nous mîmes un temps fou à tout ranger et nettoyer. Chaque fois que nous nous croisions, nous finissions immanquablement par nous bécoter. Lorsque la porte se referma finalement derrière nous, il était plus de minuit. J'aurais dû tomber de sommeil, mais l'excitation avait balayé toute fatigue en moi.

Luis tenta à trois reprises de faire tourner la clé dans la serrure pour déverrouiller la porte du café, mais cette dernière résista. Fidèle à lui-même, il ne perdit pas patience. Je l'admirais vraiment.

Soudain, une voix me fit sursauter.

–Je te ramène?

Luis et moi, nous nous retournâmes d'un bloc. Nico se tenait en face de nous, les mains dans les poches, l'air peu avenant. Ne sachant que faire, je regardai tour à tour Nico et Luis. Ce dernier trancha pour moi.

–La clé ne fonctionne toujours pas. Je vais devoir appeler mon oncle. Vas-y. Je me débrouillerai.

Même si sa réponse était logique, je fus déçue. Après ce qui s'était passé entre nous, comment pouvait-il me pousser à monter en voiture avec Nico?

Devant mon air, Luis cessa de s'acharner avec sa clé et se rapprocha de moi.

–Ne le prends pas mal. Je veux juste t'éviter d'attendre. Si tu n'as pas confiance en lui, prends l'autobus. Je ne voudrais pas qu'il t'arrive quelque chose.

Avais-je confiance en Nico? C'était là le nœud du problème. Je savais par contre que s'il pouvait encore me briser le cœur, il ne me blesserait jamais physiquement.

–Eh ! Je ne vais pas la couper en rondelles, tout de même ! riposta Nico, faisant écho à mes propres pensées.

–Si tu le dis…, répondit Luis.

Je m'apprêtais à le saluer d'une accolade lorsqu'il me prit par surprise en m'embrassant devant Nico. Puis, sur un signe de tête, il me laissa partir pour s'occuper de la serrure récalcitrante. Gênée, j'emboîtai le pas à Nico qui m'ouvrit la portière d'un geste un peu sec. Je m'assis mécaniquement, droite comme un piquet, les mains sur les genoux. J'étais envahie par un malaise, rongée par des incertitudes.

C'était bizarre d'être aux côtés de Nico, surtout après ce baiser dont il avait été témoin. Je me disais que j'aurais dû prendre un autobus, que j'étais malhonnête envers Luis. Peut-être avait-il cherché à savoir vers lequel des deux mon cœur penchait ? Peut-être était-ce une sorte de test qu'il avait voulu me faire passer ? L'avais-je déjà échoué ?

Soudain, un éclair de lucidité me traversa. J'inventais vraiment n'importe quoi. Les intentions de Luis étaient assez claires, j'en avais même eu la preuve plus tôt. Il voulait de moi, bien sûr, mais pas comme je l'entendais. Il me fallait donc faire un choix : j'acceptais ce fait, je redonnais une chance à Nico, je demeurais seule. Je ne pouvais pas continuer de courir deux lièvres à la fois.

En fait, ce n'était même pas moi qui courais.

Chapitre XV

Irremplaçable

LAISSER NICO me raccompagner ce soir-là avait été une très mauvaise idée. Tout ce que ce fait m'avait apporté, c'était une bonne migraine. Il avait d'abord conservé un silence lourd de sens, puis avait éclaté. Une fois de plus. Nous n'avions fait aucun progrès.

Je savais que j'étais en partie responsable de son humeur. Après tout, en attendant de prendre une décision claire, j'aurais pu m'abstenir de flirter avec Luis. Cette virée en voiture avait eu du bon malgré tout. J'avais finalement fait un choix. J'avais la vie devant moi et je ne voulais pas m'empêtrer dans une relation qui, dès le départ, s'était avérée difficile.

Donc, depuis vendredi, je me sentais mieux. Je fréquentais désormais Luis et la jalousie de Nico ne m'atteignait plus.

Cependant, même si mes amours se portaient mieux, j'étais un peu nerveuse. Aujourd'hui, Gwen venait souper à la maison pour la première fois. J'avais enfin accepté d'apprendre à la connaître. Tout le monde avait besoin de passer à autre chose. J'avais aussi commencé à appeler l'amie de mon père par son diminutif, ce qu'elle appréciait davantage. Elle avait compris mes réactions et ne m'en tenait pas rigueur.

Ce qui m'inquiétait, c'était mon frère. En apprenant qu'elle se joindrait à nous pour le repas, il était resté de marbre, mais je savais qu'il avait été ébranlé. Depuis quelques semaines, son comportement était totalement imprévisible. Je ne le comprenais plus. J'avais peur qu'il soit agressif ou même violent, qu'il se sente envahi par la présence de Gwen.

Gwen arriva un peu après 17 h 30. Je l'accueillis. Dans la cuisine, elle serra mon père dans ses bras avant de se servir un verre de vin.

Pour l'occasion, mon frère s'était joint à nous de mauvaise grâce. Habituellement, il demeurait dans sa chambre. Cette fois, il était assis à sa place à table et nous ignorait royalement, préférant jouer sur sa console portative. Gwen fit quelques tentatives pour entrer en contact avec lui, mais peine perdue. Charles restait imperméable à nos paroles.

Pour détendre l'atmosphère qui commençait à s'alourdir, je détournai l'attention. Je parlai à Gwen de mon changement de programme qui approchait. Bien sûr, je décidai de passer sous silence mon bénévolat au centre. Ce n'était ni l'endroit ni le moment. Pendant ce temps, mon frère put se faire oublier quelques minutes.

Notre cuisinier retira les chaudrons du poêle et commença le service. Je pris ma place habituelle.

–Je m'assois n'importe où ? demanda Gwen en s'approchant de la table.

Le regard suppliant, je fixai mon père. Je savais que c'était stupide, que ce n'était qu'une chaise, mais je refusais que Gwen prenne celle de ma mère.

Mon père me sourit pour me signifier qu'il comprenait, qu'il était d'accord, et fit asseoir sa copine sur sa propre chaise. Il apporta les assiettes et prit place en face de moi. Personne ne s'était assis à cet endroit depuis le départ de maman, pas même quelques secondes. C'était curieux que cette habitude banale ait maintenant un sens sacré. Je me penchai pour étreindre la main de mon père et me mis à manger.

–Alors, Gwen, commença papa, si tu nous parlais de ta journée ?

Au moment où elle allait prendre la parole, elle se fit interrompre.

–Bien oui ! Quelle bonne idée ! Ça nous intéresse tellement ! lança Charles, méprisant.

–Charles, sois poli ! Et veux-tu éteindre ton foutu jeu ? On est en train de manger !

–Je vais jouer si j'en ai envie. Trouve donc quelqu'un d'autre à écœurer, ça ferait changement !

Rouge de colère, mon père se leva si rapidement que sa chaise tomba à la renverse.

–Charles, va dans ta chambre tout de suite !

–Bon ! Ce n'est pas trop tôt ! répondit Charles d'un ton nonchalant. Je vais enfin avoir la paix !

Mon frère faisait clairement exprès pour prendre son temps, question d'être le plus arrogant possible. Je me levai pour aller lui parler, mais mon père me retint d'un geste de la main.

–Laisse-le faire.

Mal à l'aise, je tentai tout de même de changer de sujet. Je décidai d'annoncer à mon père que j'avais un nouveau copain. Cela le fit sourire et, de son côté, Gwen, digne représentante de la gente féminine, voulut tout savoir. Je racontai donc l'histoire en omettant les passages désagréables qui impliquaient Nico.

Tout à coup, j'entendis un « ding ! » provenant de ma poche. Un texto venait d'arriver. Je sortis mon téléphone en m'excusant et consultai l'écran.

Je n'ai pas envie qu'on se fasse la gueule ! m'avait écrit Nico.

Il ne fallait pas commencer la guerre alors ! lui répondis-je.

Ding !

Lauri, j'aimerais vraiment qu'on se voie.

Non !

Ding !

Je vais t'écrire jusqu'à ce que tu acceptes...

Laisse-moi tranquille !

Ding !

Combien de messages avant que tu craques ?

J'entendis un raclement de gorge. Je regardai mon père qui semblait sur le point d'exploser de nouveau. Comment gâcher un souper de famille ? Prenez une console, un cellulaire et le tour est joué !

– Excusez-moi, je reviens tout de suite.

Je me levai, éteignis mon téléphone et m'installai au salon pour appeler Nico. Il décrocha immédiatement.

– Salut Lauri, écoute-moi !

– Non, c'est toi qui vas m'écouter parce que tu ne comprends rien du tout ! Tu m'as jetée comme un déchet et tu te permets de me faire des scènes de jalousie ? Je fréquente Luis maintenant, que ça te plaise ou non, et je ne veux plus que tu t'approches de moi.

– Laurianne, ça ne peut pas finir comme ça. Quand je t'ai vue avec... l'autre, je me suis rendu compte que...

– Tu te répètes : la vérité, c'est que tu t'intéresses à moi seulement parce que je compte pour quelqu'un d'autre que toi. Je vais te poser une seule question : est-ce que tu m'aimes ?

Silence au bout du fil. Les secondes me paraissaient interminables. Elles passaient, me confirmant ce que je craignais.

– Mm... mais, Lauri, bredouilla-il finalement, je t'ai déjà dit que je tenais à toi, on ne va pas commencer à jouer sur les mots.

– Mais justement ! Toute la question est là, et je vais répondre pour toi, commençai-je. Tu ne m'aimes pas ! Et le jour où tu m'as redonné le dessin, tu m'as prouvé que tu ne voulais pas de ce qui avait le plus compté pour moi. Tu m'as brisé le cœur et aucune excuse ne pourra réparer ça.

–Mais voyons, Lauri, tu n'as pas compris ! Ce n'est pas ça. Je voulais que ce soit toi qui le conserves. Je croyais bien faire.

–Tu n'avais pas envie de m'expliquer tout ça avant, en personne, plutôt que de l'abandonner sur mon lit ? Tu m'as laissée croire que tu ne voulais rien garder de moi ! Ne me rappelle pas, Nico, ce sera mieux pour tout le monde.

–Je savais que je n'aurais pas dû l'écouter !

–Écouter qui ? m'enquis-je, tout à coup très attentive.

Nico soupira à l'autre bout du fil.

–Jason. C'est vraiment un con ! C'est lui qui m'a conseillé de te laisser tomber en revenant de Québec. Je lui ai dit qu'après avoir fait l'amour avec toi, tout était... différent. J'aurais dû te parler, Lauri ! J'aurais dû essayer de savoir ce qui nous était arrivé ce soir-là ! On n'en serait pas là et tu ne sortirais pas avec Luis.

Je bouillais littéralement.

–Tu veux dire que c'est ton *super* copain Jason qui a eu cette idée et tu n'étais pas capable d'y réfléchir tout seul ? On n'a vraiment plus rien à se dire, Nico !

Je raccrochai. Je savais que j'aurais dû me méfier de Jason parce qu'il ne m'avait jamais aimée. Il fallait que je tourne la page une fois pour toutes. J'avais envie d'être heureuse, que mon père le soit aussi. Et pour Charles... je trouverais bien une solution.

Je m'assis sur la causeuse. Mes mains tremblaient. Je les frottai sur mes cuisses pour les dégourdir.

Je respirai profondément et je me levai. Ma nouvelle belle-mère, elle, méritait sa chance.

Quand j'arrivai à la cuisine, mon père me dévisagea avec inquiétude.

–Est-ce qu'il y a un problème, ma grande? Tu parlais avec qui?

–Ce n'est rien, papa. Maintenant, tout va pour le mieux.

Je repris la conversation en racontant la soirée qu'Anthony avait organisée pour Marilou et moi. J'avais déjà mentionné à mon père le coup de foudre de mon ami d'enfance pour ma meilleure amie.

–Eh bien! s'exclama-t-il, impressionné. Il s'est enfin décidé à utiliser l'artillerie lourde!

–Ça, tu peux le dire! C'était vraiment génial.

J'appris aussi à connaître Gwen. Elle avait déjà été mariée, mais n'avait pas eu d'enfants. Secrétaire juridique, elle avait peu de temps pour rencontrer de nouvelles amies. C'était pour cette raison qu'elle s'était inscrite à des cours de cuisine. Finalement, elle avait trouvé l'amour plutôt que l'amitié, avait-elle ajouté en partageant un regard complice avec mon père.

Je décidai de lui raconter quelques anecdotes de notre famille.

–C'est une bonne idée que mon père a eue en s'inscrivant à ce cours. Une fois, commençai-je en riant, il s'est mis en tête de faire le souper pour rendre service à ma…

Je m'interrompis. La plupart de nos histoires familiales incluaient ma mère et je ne voulais pas rendre mon père ou sa copine mal à l'aise. Je l'interrogeai donc du regard avant de poursuivre. Il se tourna vers Gwen, qui me répondit directement.

–Tu sais, Laurianne, ta mère sera toujours dans vos cœurs et on ne doit pas faire comme si elle n'avait jamais existé. Je n'agirai jamais comme si tu étais ma fille, à moins que ce ne soit ce que tu souhaites. J'accepterai la place que tu voudras bien me laisser.

Émue, j'avais de la difficulté à reprendre mon histoire.

–Tu peux continuer, poursuivit-elle, ton anecdote m'intéresse beaucoup. Je me souviens de quoi André avait l'air durant les premiers cours ! J'imagine que tout ça se termine avec un gros dégât et une recette immangeable ?

Un rire m'échappa. En effet, elle avait visé juste ! Je racontai l'événement avec une joie contagieuse et mon père ajouta son grain de sel entre deux éclats de rire.

Toutes les pièces du puzzle semblaient vouloir se mettre en place. Marilou, mon père, Luis, mes futures études en soins infirmiers, tout était à point. J'avais écarté Nico, qui appartenait à un casse-tête dont je m'étais débarrassé. Il ne me manquait que Charles pour que l'ensemble soit complet et mon esprit revenait sans cesse à lui. Mon frère nous cachait des choses, ça devenait de plus en plus clair.

Pour l'instant, je n'avais aucune idée quant à la façon de l'aider, mais en ce qui concernait Nico, j'avais trouvé une solution pour l'expulser de ma vie. Demain, avant d'aller en cours, j'irais à ma boutique de téléphonie pour changer mon numéro de portable. Ainsi, Nico ne pourrait plus me rejoindre aussi facilement. D'ici là, mon appareil resterait fermé.

Chapitre XVI

Voyage au centre de moi-même

– Bonjour, Laurianne ! Contente de te revoir parmi nous !

Je souris à Mélanie, l'infirmière qui m'accueillait avec autant d'entrain. La revoir, ce mercredi-là, me rappela à quel point mon regard sur le centre de cancérologie avait changé. Je ne le percevais plus comme un mouroir, mais plutôt comme un lieu de transition. Oui, il y avait des malades qui se préparaient à mourir, mais il y avait aussi des battants, des survivants, des gens qui saisissaient cette autre chance que la vie leur offrait.

Ce changement qui s'opérait en moi m'ouvrait de nouvelles voies. J'avais dorénavant envie d'accompagner ces patients dans cette épreuve. Après tout, j'étais bien placée pour les comprendre et je sentais que cette idée me plairait.

Une fois mes effets déposés, je repérai Mélanie au fond de la salle. Comme elle m'apercevait à son tour, elle m'indiqua du menton une jeune femme qu'elle était en train d'installer sur une chaise de traitement. Un grand sourire aux lèvres, je m'approchai d'elles.

Puisque nous étions sensiblement du même âge, je décidai d'emblée de tutoyer la patiente.

–Bonjour! Je m'appelle Laurianne et je suis bénévole au centre. Est-ce que tu voudrais que je t'apporte de l'eau et une couverture?

La jeune femme acquiesça faiblement et je partis m'acquitter de ma tâche. En revenant avec ce dont je lui avais parlé, je notai sa nervosité, ses mains crispées, ses longs cheveux. Son regard semblait s'égarer en tous sens, comme si elle n'avait aucun repère ici. Elle en était sûrement à son premier traitement.

–Tout va bien se passer. Tu verras. Dis-toi que c'est le premier pas à franchir qui est souvent le plus difficile, dit Mélanie.

–Elle sait de quoi elle parle, crois-moi! lançai-je à mon tour en insérant la paille dans le verre d'eau pour ensuite le déposer sur la petite table devant le fauteuil.

La jeune femme fit un pâle sourire et tourna des yeux intéressés vers Mélanie qui bougea expressément sa perruque pour elle. Immédiatement, je vis le contact s'établir entre les deux femmes, ce qui me fit réfléchir. J'étais sûre d'avoir déjà vu ce genre de regard auparavant. Cependant, je n'eus pas le temps de m'y attarder davantage, car la patiente reporta son attention sur moi.

–Merci pour la couverture et l'eau, Laurianne. Moi, je m'appelle Maude.

–Ça me fait plaisir. Si jamais tu as besoin de quoi que ce soit, je suis là.

J'aurais voulu lui demander pourquoi elle était venue seule, mais j'avais peur de me mettre les pieds dans les plats. N'avait-elle pas une mère, une grand-mère ou une amie pour lui venir en aide ?

Une fois le sac de traitement bien en place, l'infirmière nous quitta pour s'occuper d'un vieil homme. Comme c'était plutôt calme, je m'assis quelques instants aux côtés de Maude pour lui parler un peu. À mon grand étonnement, je n'eus même pas le temps d'ouvrir la bouche qu'elle me bombarda de questions.

– Tu es jeune pour faire du bénévolat ici. C'est plutôt les personnes âgées qui font ça normalement ! Qu'est-ce qui t'a poussée à devenir bénévole ?

Au moins, elle semblait moins angoissée. Tant mieux si sa curiosité lui permettait de penser à autre chose. Je me demandai cependant comment répondre à sa question. Je ne pouvais tout de même pas lui dire que ma mère était morte du cancer ! N'ayant pas envie de lui mentir, je choisis donc de lui révéler une partie de la vérité en lui parlant de mon intérêt pour les soins infirmiers.

– Et tu aimes ça ? Je veux dire, aider des gens malades ? Ça ne te dérange pas de les rencontrer et de te dire qu'ils vont peut-être mourir ? Moi, par exemple, je ne sais même pas si je serai encore là en juin pour fêter mes vingt-deux ans…

Sa voix se cassa et je lui pris la main.

–Il ne faut pas penser à ça. Concentre-toi plutôt sur l'aspect positif. Vis une journée à la fois. N'essaie surtout pas de te projeter dans l'avenir pour le moment. Tu as besoin de conserver un bon moral pour réussir le traitement.

C'était ce que la responsable du centre de bénévolat m'avait conseillé de dire dans de telles circonstances. Maude renifla et me sourit. Elle semblait apaisée, mais je me promis de renseigner Brigitte ou Mélanie de son état de découragement.

–Tu as raison. Oublions ça. C'est seulement que je viens de passer à travers toutes ces étapes pour ma propre mère et maintenant, me voilà moi aussi assise dans cette maudite chaise. La vie est drôlement faite, tu ne crois pas?

Estomaquée par ce que je venais d'entendre, je demeurai là, la bouche ouverte, à la regarder. Puis, les premiers mots qui me vinrent me surprirent moi-même.

–Ma mère aussi est passée par là. C'est la raison pour laquelle je suis ici.

Son sourire se fit compatissant.

–Ah! Je comprends mieux maintenant.

Elle ne me demanda pas si ma mère avait gagné son combat. Je crois qu'elle avait vu dans mon visage que non. La sienne non plus ne devait pas avoir survécu au cancer, sans quoi elle l'aurait sûrement accompagnée à son premier traitement.

Tout en continuant à me regarder, elle hocha la tête. Et là, dans ses yeux, je vis ce contact, ce regard particulier que j'avais entraperçu entre Mélanie et elle un peu plus tôt. Ce même échange chargé de respect que j'avais déjà remarqué entre les patients du centre. C'était comme une discussion muette entre deux personnes qui se comprennent, une manière de se reconnaître, de se rappeler les épreuves partagées. J'en fus tellement émue que des larmes me montèrent aux yeux.

– Et toi, est-ce que tu as passé les tests ?

Je la regardai, incapable de comprendre de quoi elle pouvait bien parler.

– Des tests ? Quels tests ?

– Pour les gènes BRCA, me répondit Maude. Est-ce que ta mère était affectée par leurs mutations ?

Leurs mutations ? De quoi ? Des gènes BRCA ? J'avais l'impression de me retrouver dans un mauvais film de science-fiction. Le visage de Maude devint soudain soucieux.

– Tu veux dire que tu ne sais pas si le type de cancer de ta mère est héréditaire ? Personne ne t'en a parlé ?

Inquiète à mon tour, je secouai la tête. Non, on ne m'avait rien dit à ce sujet.

– Il faudrait que tu demandes à un membre de ta famille. C'est vraiment important de savoir ces choses-là. D'un autre côté, j'imagine que si ta mère portait ces mutations dans ses gènes, on te l'aurait mentionné. Tu n'as probablement pas de raisons de t'inquiéter, mais informe-toi tout de même.

Je repensai à la période après le décès de ma mère. Mon père était dans un tel état d'apathie qu'il n'avait peut-être pas pensé à m'en parler. Et ma mère ? Dans sa lettre, elle ne m'en avait pas glissé un seul mot. Pensait-elle que mon père allait le faire plus tard ? Il était aussi possible, comme le suggérait Maude, qu'on n'ait pas jugé bon de m'en avertir si ma mère n'avait pas souffert d'un cancer héréditaire.

– Toi ? Tu as passé ces tests ?

Elle eut une moue de regret.

– Oui, mais j'ai fait le mauvais choix.

– C'est-à-dire ?

Elle prit une grande inspiration avant de se lancer dans son récit bouleversant.

– Ma mère avait une mutation des gènes BRCA, ce qui fait que j'avais 50 % de chances d'hériter de ces mêmes mutations. On m'a suggéré de passer des tests sanguins pour en être sûre. Quand j'ai su que j'étais moi aussi porteuse de ces anomalies, j'ai beaucoup pleuré. On m'a expliqué les différentes façons de prévenir l'apparition d'un cancer, mais ça me faisait peur. Me faire enlever les seins et les ovaires à dix-neuf ans, ça voulait dire que je n'aurais jamais d'enfants. Alors, j'ai décidé d'attendre un peu avant de subir une chirurgie, mais le temps a joué contre moi.

Quelques larmes perlaient dans ses yeux. Maude avait tenté un coup de dés et avait perdu. Étais-je en train de jouer moi aussi avec ma santé sans le savoir ? Je serrai fort sa main, incapable cette fois d'ajouter des paroles réconfortantes. Mon corps était là, mais ma tête était indisponible, trop enfoncée dans ce voyage au centre de moi-même.

Chapitre XVII

Réunion

J'ATTENDAIS Marilou qui devait venir à la maison pour me raconter son dernier rendez-vous avec Anthony. Je l'avais sentie très nerveuse au téléphone et j'avais hâte qu'elle arrive. Je savais qu'elle voudrait connaître les dernières nouvelles de Luis. Au cégep, à l'heure du dîner, nous n'étions pas souvent seules et les pauses étaient toujours trop courtes pour nous permettre d'échanger longuement.

Assise au comptoir du lunch, j'annotais un texte pour mon cours de psychologie, quand j'entendis la sonnette de la porte d'entrée. J'actionnai la cafetière pour que le liquide infuse pendant que nous nous installions.

En entrant, Marilou sentit tout de suite l'odeur.

–Vanille française? me questionna-t-elle.

–Bien sûr, quoi d'autre?

Je pris son manteau en la pressant de me révéler les détails de sa dernière sortie avec Anthony.

–Il m'a proposé d'aller au Biodôme. D'ailleurs, je ne sais pas comment il a su que c'est une de mes sorties préférées!

La mine contrite, j'avouai :

–D'accord, je plaide coupable, il m'a demandé de lui faire une suggestion.

–C'était super ! Il y avait longtemps que je n'y avais pas mis les pieds. Quand nous sommes sortis du Biodôme, j'étais tellement bien… que je l'ai embrassé !

–Il ne s'est pas évanoui ? dis-je, en m'esclaffant.

–Non ! me jura Marilou. Mais il m'a avoué que c'était la plus belle journée de sa vie.

–Donc vous êtes ensemble ? lui demandai-je.

–Pas officiellement. On veut prendre notre temps. Tout est trop bien ! Je ne pouvais pas rêver mieux. Et toi ?

–Disons que mon histoire n'a rien d'aussi magique que la tienne. Je ne fréquente pas un riche, moi !

–Allez, raconte ! me pria Marilou, nullement vexée.

Je m'exécutai en ajoutant l'épisode avec Nico. Elle n'en revenait pas que je l'aie envoyé promener. Je l'assurai que c'était de l'histoire ancienne, lui et moi, et que j'allais me consacrer à ma relation avec Luis. Je verrais plus tard où cela me mènerait.

–Tu faisais quoi ? me demanda mon amie en remarquant mes livres ouverts.

–Je lisais un texte pour mon cours de politique.

–Je trouve ça bien que tu prennes tes études au sérieux même si, en janvier, tu seras en soins infirmiers.

– Je n'ai pas trop le choix ! Je ne pourrai pas être acceptée si je n'ai pas une moyenne suffisante. Alors, je fais de mon mieux. Si tu voyais ces gens au centre de cancérologie ! En fin de compte, ce sera ma mère qui m'aura conseillée sur mon choix de carrière, exactement comme elle aurait dû le faire.

– Je suis contente pour toi, me dit Marilou en m'étreignant, émue.

– Je suis heureuse pour toi aussi. Tu mérites tout l'amour d'Anthony.

Mon seul sujet d'inquiétude demeurait mon frère. Il devenait de plus en plus arrogant et instable. Chacun vivait son deuil à son rythme et à sa façon. Son changement d'attitude concordait avec sa rencontre avec Ben, son nouvel ami du secondaire. Ce garçon me semblait loin d'être un enfant modèle et Charles suivait vraisemblablement son exemple. Mon père refusait d'agir, mais il faudrait bien arriver à les séparer avant que des événements encore plus graves ne se produisent. Mon frère avait déjà tripoté une fille et s'était battu jusqu'à blesser sérieusement un autre élève. Il allait trop loin. Je confiai toutes ces angoisses à Marilou, ajoutant aussi l'attitude irrespectueuse qu'il avait eue avec Gwen.

– Lauri, je crois que tu t'en fais trop. Je te rappelle que tu as eu des problèmes avec la police, l'école, ta famille et tes amies quand tu essayais d'oublier la mort de ta mère. Laisse-le respirer, il va finir par reprendre le dessus comme tu l'as fait.

– Tu as sans doute raison, dis-je en soupirant. Mais je ne sais pas… Il y a plus de violence en Charles qu'il n'y en avait en moi.

– Ça suffit, Laurianne ! Il faut que tu penses à toi aussi.

Je tournai le dos à Marilou. J'avais été si égoïste ces derniers mois. J'essayais maintenant d'être plus attentive aux autres. En même temps, mon amie était du type altruiste. Si elle jugeait que mon frère n'avait pas besoin d'aide mais plutôt d'espace, elle avait peut-être raison. Que serais-je devenue à l'époque si Nico et Marilou ne m'avaient pas tendu la main, peu importe mon comportement déplacé ? Incapable de décider du sort de Charles, je me dis que j'allais gérer ses frasques quand elles arriveraient, pas avant.

La sonnette de l'entrée me tira de ma réflexion.

– Ce doit être Luis qui vient me chercher pour aller au travail, dis-je après avoir consulté ma montre.

– Vous devez partir tout de suite ?

– Non, au plus tard à 16 h 30. Tu veux rester avec nous ? Prends le temps de finir ton café ! lançai-je en allant répondre à la porte.

Lorsque j'ouvris, je découvris Luis avec son air charmeur coutumier. Il s'avança et m'embrassa. Surprise et contente à la fois, je lui rendis son baiser. J'apprenais à accepter l'alternance de distance et de proximité, à apprécier quand c'était plus chaud et à éviter la déception quand c'était le calme plat. Je lui souris et l'attirai à la cuisine.

–Salut, Marilou! dit Luis en l'embrassant sur les joues.

–Salut! J'ai l'impression que je te vois toujours entre deux cours. Pourquoi on n'irait pas au cinéma tous les quatre demain soir?

J'interrogeai Luis du regard.

–Pourquoi pas? finit-il par dire. Par contre, je termine mon quart de travail un peu plus tard que Lauri.

–Pas de problème, on t'attendra, répondit Marilou.

–Parfait! C'est un rendez-vous alors! conclus-je.

Je proposai une tasse de café à Luis et il l'accepta volontiers. Nous parlâmes de tout et de rien, alors le temps fila à une vitesse folle. Quand vint le temps de partir, je fermai la porte à clé et saluai Marilou qui prit le chemin de sa maison.

Enfin seule avec Luis, je mis mes bras autour de lui, peu pressée de m'installer dans la voiture malgré le vent qui soufflait. Je relevai le menton et l'embrassai.

–Que me vaut cet honneur? me demanda-t-il.

–Rien de particulier. Merci d'être venu me chercher.

–Tout ça pour si peu? Les garçons doivent se bousculer pour te raccompagner alors!

Je ris avec lui et l'embrassai de nouveau. Longuement, comme si nous n'étions pas attendus, comme s'il n'y avait rien autour de nous. J'avais chaud et j'étais bien contre lui. J'aurais aimé que le temps se fige.

Ne pouvant pas repousser l'inévitable indéfiniment, Luis s'écarta, replaça une mèche de cheveux derrière mon oreille et me sourit. Il m'entraîna ensuite jusqu'à la voiture. J'avais la main sur la poignée, attendant qu'il actionne le déverrouillage des portes, quand je perçus du mouvement sur ma gauche. Je tournai la tête et découvris Nico sur le trottoir, juste derrière le véhicule.

–Je n'arrive pas à te joindre sur ton cellulaire, lâcha-t-il sans autre préambule et en feignant ne pas remarquer la présence de Luis.

–J'ai fait changer le numéro. Je te l'ai dit: je ne veux plus te parler. Et maintenant, si tu permets, dis-je en lui faisant signe de dégager, je dois aller travailler.

Je m'installai dans la voiture et bouclai ma ceinture. Luis me rejoignit. Je mis mon coude sur le bord de la fenêtre et, la tête appuyée dans ma main, je laissai mon regard errer dans le vide. Juste avant que Luis ne recule, je croisai le regard de Nico dans le miroir.

Sentiment d'abandon, de désespoir, de colère, je sentais tout comme s'il l'avait clairement exprimé. Ce regard, c'était le mien quelque temps plus tôt. Je baissai les yeux.

Quand je relevai la tête, Nico avait disparu.

Chapitre XVIII

Comparaisons

–Si ça continue, il n'y aura plus de place!

–Arrête de t'en faire, je suis sûr qu'il va en rester! Sinon, on trouvera autre chose, me répondit Luis, en éternel optimiste.

Le vendredi soir est le pire moment pour aller au cinéma. Avec tous ces gens qui attendaient devant nous, il était clair que nous aurions à faire la file longtemps.

Derrière moi, Anthony tenait la main de Marilou, ses doigts jouant avec les siens. Chacun de ses regards, chacun de ses effleurements étaient empreints d'affection. Je n'avais jamais vu Jérémie la contempler ainsi. On voyait tout de suite que, pour Anthony, elle était importante.

Je ressentis un pincement au cœur. Et moi, qu'étais-je pour Luis? Je secouai la tête. Je n'allais pas recommencer. J'avais décidé que les moments passés avec lui ne seraient plus faits de ce genre de questionnements.

–Ça va? Tu as l'air préoccupée. J'espère que ce n'est pas encore à cause du film! Tu t'inquiètes toujours trop pour rien, me taquina Luis.

–Non, non, ce n'est pas ça. Je réfléchissais, c'est tout.

–Je n'arrive pas à savoir si c'est bon ou pas, plaisanta-t-il.

Je lui donnai une petite poussée à l'épaule et il m'enveloppa de ses bras. Aussitôt, il posa ses lèvres sur les miennes et je me laissai emporter par leur douceur et leur fermeté. Normalement, je n'appréciais pas vraiment les effusions en public, mais pour une raison obscure, avec lui, ce n'était pas pareil. Peut-être était-ce parce que ses baisers n'étaient jamais déplacés ou bien parce qu'il se fichait complètement de ce que les gens autour pouvaient penser ?

–Eh ! C'est à nous, s'exclama soudain Marilou derrière moi, me forçant à reprendre contact avec la réalité.

Je me séparai à regret de Luis alors qu'il se retournait pour commander les quatre billets. Comme il l'avait affirmé, il restait effectivement assez de place pour nous. Il paya et me tendit mon entrée.

Tout comme moi, Anthony sortit son portefeuille pour le rembourser, mais Luis refusa de la tête.

–Cadeau, dit-il simplement.

Anthony fronça les sourcils.

–Je n'ai pas l'habitude qu'on paie pour moi.

–Eh bien ! Il y a un début à tout ! rétorqua Luis.

Anthony le jaugea quelques secondes.

– D'accord, mais c'est moi qui m'occupe du maïs soufflé et des boissons.

– Parfait.

Tout en discutant, ils passèrent devant nous et je me retrouvai seule avec Marilou.

– On dirait qu'ils s'entendent déjà, me dit mon amie d'un ton enjoué.

Je jetai un coup d'œil en direction des deux garçons. Anthony riait des propos de Luis. Ce dernier lui donna un coup à l'épaule.

– Tu as raison. D'un autre côté, je ne m'inquiétais pas trop. Comme Anthony, Luis est à l'aise avec tout le monde. Enfin, avec presque tout le monde…

– Eh ! Je te défends de penser à Nico. Nous allons avoir une belle soirée, tu verras. En plus, j'ai l'impression que ton chéri va t'empêcher de regarder une bonne partie du film !

Je souris. C'était bien ce que j'espérais, moi aussi !

Après un passage au comptoir alimentaire, nous étions enfin prêts à nous asseoir dans la salle 4. Marilou et Anthony occupèrent immédiatement deux sièges au centre, là où la vue était excellente, mais Luis m'entraîna plutôt dans un coin isolé à l'arrière. Je l'interrogeai du regard.

– Je veux pouvoir t'embrasser sans me faire crier que je bloque la vue.

Mon rythme cardiaque s'emballa et un fou rire m'échappa.

– Qu'est-ce que j'ai dit de drôle ? demanda Luis, nullement fâché.

– Rien, je me disais seulement qu'à notre âge, on pourrait trouver d'autres endroits qu'une salle de cinéma pour nous embrasser ! Je faisais ça à quatorze ans !

Les yeux de Luis s'égayèrent et ses lèvres s'étirèrent en un air coquin.

– Oui, et alors ? Avoue qu'une partie de toi rêve de recommencer !

Particulièrement heureuse, je m'assis à ses côtés. La philosophie de Luis me plaisait de plus en plus et j'avais envie de remercier la vie de cette rencontre. Peut-être avais-je beaucoup à apprendre de lui, en fin de compte.

Lorsque les lumières de la salle se tamisèrent, il me prit la main et caressa longuement l'intérieur de ma paume, continua avec chacun de mes doigts puis déposa ses lèvres sur mon poignet. Il avait agi ainsi avec une lenteur étonnante, mais son sourire me confirmait que c'était tout calculé. Il jouait, ça se voyait. C'en était même un peu agaçant, car j'avais l'impression qu'il demeurait toujours maître de la situation. Comment réussir à le déstabiliser ? Était-ce même possible ou sa conception de la vie l'empêchait-elle d'être troublé par quoi que ce soit ?

Je perdis le fil de mes pensées dès que le film commença. Luis avait cessé de me caresser et se contentait de tenir ma main dans la sienne. Sans m'en rendre compte, j'entrai totalement dans l'histoire d'après l'apocalypse, où les jeunes devaient reconstruire le monde à la suite d'une épidémie dévastatrice qui avait tué tous les adultes. Je me pris rapidement d'affection pour le personnage principal, une jeune fille somme toute banale, qui se retrouvait pourtant poussée à diriger une nouvelle colonie avec l'aide de deux de ses amis. Le fait qu'elle ait à choisir parmi ces garçons n'était pas sans me rappeler ma propre situation, ce qui me ramena étrangement à des souvenirs de l'été dernier.

C'était la première fois que j'allais voir un film avec Nico. En fait, c'était également la dernière. Je l'avais convaincu d'aller au ciné-parc et, à la dernière minute, je m'étais cachée dans le coffre de la voiture pour ne pas payer mon billet d'entrée. Nico avait été en colère contre moi. Malgré tout, il était resté. Il m'avait soutenue dans cette période difficile de ma vie, où je me morfondais. Je me détruisais en quelque sorte. À tout moment, il s'était assuré que rien de grave ne puisse m'arriver. À bien des égards, il avait été mon ange gardien.

Un malaise s'installait en moi. Repenser à tout ce que Nico avait fait pour moi me rendait coupable. Comme s'il l'avait senti, Luis serra mes doigts.

–Tu veux encore du maïs soufflé? Il en reste, me chuchota-t-il.

–Non, ça va, merci, répondis-je en me penchant vers lui.

En murmurant ces mots, mes lèvres effleurèrent sa mâchoire et il trembla. Un sourire s'afficha immédiatement sur mon visage. J'étais donc capable de le faire réagir!

Tentant le tout pour le tout, j'aventurai ma main sur son bras, sa poitrine, puis son ventre. Son souffle s'accéléra. Il se pencha pour m'embrasser, mais j'eus beau tout faire, ce fut lui qui maîtrisa ce baiser.

–Tu veux passer chez moi après le film? me demanda-t-il en un souffle. Ma mère n'y sera pas.

Était-ce sa façon de me faire comprendre qu'il voulait aller plus loin? Je ne savais que répondre. J'avais réellement envie de me retrouver dans ses bras et de découvrir enfin à quoi il pouvait ressembler lorsqu'il se laissait un peu emporter, mais pas maintenant. C'était une limite que je n'étais pas prête à franchir tout de suite. Si l'attirance physique conduisait au lit, la confusion dans les sentiments ruinerait tout ensuite. J'avais au moins retenu cette leçon de ma dernière relation.

Fidèle à lui-même, Luis décoda instantanément mon expression.

–Hé! Je ne voulais pas faire pression sur toi! En plus, c'était juste pour t'inviter à jouer une partie de Monopoly...

Je ris. Nous savions tous les deux que c'était faux, mais son humour me fit du bien.

Il m'observa en silence, puis un air des plus intrigants s'afficha sur ses traits pendant que le générique du film commençait à défiler à l'écran et que les lumières se rallumaient.

–Je ne te cache pas que tu es très belle et que j'ai vraiment envie de toi, Laurianne. Autant te le dire, j'y pense toutes les nuits!

pelles de Mme Paré ?
i habitait au bout de la rue et qui
il y a deux ans ? C'est quoi le

m'observa en silence, comme s'il
en moi. C'était bien une pre-
me souvenais pas qu'il ait déjà

vons rencontrée tout à l'heure.
té pour le travail que tu effectues
cancérologie. Elle accompagne
e ses amies et elle t'a reconnue.
vant qu'elle n'ait le temps de te

ficilement. Je ne voulais pas que
cette façon.
ord été étonné, poursuivit mon
dit qu'elle se trompait, qu'elle
due avec une autre personne,
ssuré que c'était bien toi. Alors,
à l'heure, je tourne en rond.
mprendre pourquoi tu nous as
formation.
harles ? demandai-je, inquiète de
mon frère.
fermé dans sa chambre. Il vaut
r tranquille. Il est tellement diffi-
derniers temps.
e me frottai le visage à deux
lant éviter de blesser ma famille,
né la situation. Pourquoi fallait-
toujours les mauvais choix ?

Sur un clin d'œil, il se leva et me tendit mon manteau. Sa dernière remarque me tournait dans la tête. J'allais devenir folle ! Plus j'essayais de percer le mystère « Luis », plus je m'y perdais. Quand le but ultime était d'attirer quelqu'un dans son lit, on déployait ses meilleures stratégies pour en mettre plein la vue et on évitait soigneusement d'entretenir une relation profonde avec la personne. Pour sa part, Luis avait fait en sorte qu'on travaille au même endroit et il n'était pas trop insistant. Par moments, il était même distant. Que cherchait-il à la fin ?

Nico était si simple. Je savais ce que je représentais pour lui. Il prenait toujours grand soin de moi. Bon sang ! Je m'énervais moi-même ! J'agissais comme une enfant gâtée, fâchée de ne pas être le centre de l'attention.

Les deux garçons étaient si différents. J'avais beau avoir fait mon choix, une petite voix dans ma tête me demandait sans relâche : « Est-ce vraiment ce que tu désires ? » Effectivement, toute la question était là. Parce que j'avais encore le choix. Je n'avais pas besoin d'être avec quelqu'un à tout prix. D'un autre côté, Luis m'attirait déjà beaucoup trop.

Il me reconduisit jusque chez moi. Je l'embrassai avant de descendre de la voiture et, en remontant l'allée, je décidai d'arrêter de m'en faire. Si Luis avait eu de mauvaises intentions, j'étais convaincue que je l'aurais déjà percé à jour. Et quand mes lèvres rencontraient les siennes, mes angoisses fondaient comme neige au soleil.

C

–SALUT, ma g
Je déposai
regard vers mon
mais ces derniers

– Je ne ferm
saut chez Mari
dans une demi-l
reste un peu ?

–Non, au c
te changer les i
volat et le trav
temps pour sou

Je me figea
père savait qu
centre ? Comm
J'avais tout fai
l'apprennent. J
peine.

–Commen
toute petite vo

Mon père
l'espace vide à
place aussitôt.

–Tu te

–Celle
a déménag
rapport ?

Mon pè
tentait de
mière. Je n
essayé.

–Nous
Elle m'a fél
au centre c
parfois une
Tu es partie
saluer.

J'avalai c
ça se sache c

–J'ai d'a
père. Je lui
t'avait conf
mais elle m'a
depuis tout
J'essaie de c
caché cette in

–Où est C
la réaction de

–Il s'est e
mieux le laiss
cile à vivre ce

Abattue,
mains. En vo
j'avais enveni
il que je fasse

–Il n'y a pas grand-chose à dire, papa. C'est mon expérience là-bas qui m'a convaincue de me diriger en soins infirmiers.

–Tu es sûre de toi ?

–Oui, papa. J'ai l'impression d'être utile, de ne pas m'intéresser juste à mon nombril. Dès janvier, je vais changer de programme pour me diriger en soins infirmiers. J'ai les notes qu'il faut et le centre va me fournir une lettre de recommandation.

Mon père me sourit.

–Eh bien ! Je suis fier de toi, Laurianne. J'ai l'impression que tu as grandi d'un seul coup. Tu es devenue si… mûre.

Il leva les yeux au plafond.

–Ce qui n'est visiblement pas le cas de ton frère !

Je lui serrai le bras pour le réconforter et tentai de me rappeler les paroles de Marilou.

–Laisse faire le temps, papa. Il est plus jeune et il réagit aux événements à sa manière.

Mon père conservait un air soucieux.

–Je sais qu'il est encore fragile à cause de la mort de Roxane, mais je pense que tu avais raison : depuis que Ben est son ami, il est différent.

Depuis quand mon père était-il devenu perspicace en matière de sentiments ? Était-ce Gwen qui lui avait ouvert les yeux ?

–Il faudrait vraiment empêcher Charles de le voir, mais je ne sais pas comment on pourrait faire. D'un autre côté, c'est Charles qui fait des conneries, pas Ben. On ne peut pas accuser ce garçon de tout, papa.

–Je sais. Je voudrais seulement comprendre ce qui lui prend. Enfin! On ne réglera rien ce soir!

Il allait se lever, mais s'arrêta soudain dans son élan.

–Tu sais, Laurianne, quand j'ai appris que tu faisais du bénévolat à l'hôpital, j'ai beaucoup pensé à ta mère, à sa maladie. Il va falloir qu'on prenne un moment pour en parler, toi et moi, mais pas maintenant. Je ne peux pas. Pas encore.

Les battements de mon cœur s'accélérèrent. Que voulait-il me dire? Était-ce à propos de ces fameux gènes dont m'avait parlé Maude? Je voulais qu'il continue, mais il quitta la pièce, la tête basse, et je demeurai là, muette, incapable de lui avouer mes inquiétudes.

Quelques secondes passèrent et je tentai de me raisonner, de me dire qu'il ne fallait pas songer au pire, mais rien n'y fit. Je voulais savoir s'il y avait des risques que j'aie une anomalie génétique. C'était mon droit. Forte de cette conviction, je m'extirpai du canapé pour confronter mon paternel. Au moment où je franchissais l'arche qui séparait le salon de la cuisine, je le vis sortir à l'extérieur. Déçue, je tirai une chaise et m'assis à la table. Mon père avait sûrement besoin de prendre l'air. Mes questions devraient attendre.

Attendre. J'avais l'impression qu'il s'agissait d'une course contre la montre et que patienter était la pire des stratégies. Si ma mère était atteinte d'un cancer héréditaire, mon propre ADN devenait une véritable bombe à retardement.

Tout à coup, la sonnerie du téléphone me tira de mes noires réflexions. J'allongeai le bras et répondis.

– Salut ! Est-ce que Charles est là ?

– Salut, Ben. Attends, je te le passe.

À regret, je me levai et m'approchai de l'escalier. J'aurais dû mentir à Ben, lui faire croire que mon frère était absent.

– Charles ! criai-je. C'est pour toi !

J'entendis le déclic caractéristique qui me prouvait qu'il avait pris la communication et je raccrochai.

Je grimpai à mes quartiers, mais devant la porte de la chambre de mes parents, je m'arrêtai. Dans un coin, mon père avait empilé des cartons. Je m'approchai, sachant trop bien ce que j'y découvrirais.

Quelques mois plus tôt, j'avais raconté à ma meilleure amie que je faisais du ménage dans les effets personnels de ma mère, ce qui était faux. Je n'en avais jamais eu l'intention. Je m'étais seulement servie de cette excuse pour éviter de la voir, voulant être seule pour broyer du noir. Mon père non plus, jusqu'à maintenant, n'avait pas jugé bon de se débarrasser des vêtements et des accessoires de maman. Était-ce la venue de Gwen dans sa vie qui avait motivé l'apparition de ces boîtes ?

Je m'agenouillai devant l'une d'elles et l'ouvris. Les larmes aux yeux, je sortis une robe que ma mère avait portée en de rares occasions. La dernière fois que je l'avais vue ainsi vêtue, mon père et elle fêtaient leur vingtième anniversaire de mariage.

– Qu'est-ce que tu fais là ? cria soudain une voix derrière moi.

Surprise, je me levai d'un bond, la robe entre les mains. Charles se tenait dans le cadre de la porte, les jambes bien campées, les bras le long du corps, les poings fermés. Tout chez lui exprimait la rage.

– Moi ? Mais rien, voyons !

– Ne mens pas ! Tu étais en train de faire disparaître les vêtements de maman !

Étonnée de toute la rancœur que je lisais sur son visage, je m'approchai de lui. Il recula immédiatement dans le couloir, comme s'il avait peur de ne pas arriver à se maîtriser. Je le suivis pour tenter de le rassurer.

– Charles, je ne me débarrassais pas des vêtements de maman ! Je venais juste de…

– Arrête ! Arrête de mentir ! C'est quoi, toutes ces boîtes, hein ? Tu pensais que je ne le remarquerais pas ? Que tu pourrais tout balancer avant que papa et moi…

– Ça suffit, Charles !

À ce moment-là, la porte de l'entrée s'ouvrit et j'entendis mon père qui discutait avec Luis et Nico. Même si je ne comprenais pas ce que ce dernier faisait ici, j'étais heureuse de leur arrivée. Papa pourrait expliquer la situation à Charles et tout rentrerait dans l'ordre.

– Écoute, frérot, je n'ai pas envie de me disputer avec toi. Je ne sais pas ce qui se passe ces derniers temps, mais tu es vraiment étrange.

Je m'avançai encore, les mains tendues en signe d'apaisement. Pour la première fois, je remarquai à quel point mon frère avait grandi. Il avait pris une bonne tête et sa mâchoire était devenue plus carrée. À bien des égards, il était encore un enfant, mais visiblement, l'adolescence apparaissait assez rapidement. Comment autant de changements physiques avaient-ils pu s'accomplir chez lui en si peu de temps ?

– Je ne connais pas beaucoup Ben, continuai-je, mais chaque fois que tu le vois ou que tu lui parles, tu deviens agressif, Charles. Si ça ne va pas avec lui, tu peux prendre tes distances. Des amis, tu peux t'en faire d'autres.

Les yeux de mon frère se plissèrent.

– Tu es vraiment stupide, tu le sais ? Tu te crois supérieure avec ton petit bénévolat à la con ? Tu penses peut-être que tu vas sauver tout le monde et qu'on va te remettre une médaille ! Réveille ! Des miracles, ça n'existe pas ! Dans la vie, on souffre ! Tout le monde souffre !

Avant même que je comprenne ce qui se passait, mon frère poussa mes épaules de ses mains. Débalancée, je tentai de retrouver l'équilibre, mais derrière moi, il n'y avait que le vide. Je n'eus pas le temps d'attraper la rampe de l'escalier, mon corps chancela vers l'arrière et je tombai. Il y eut un premier choc contre mon dos, un de mes bras frappa ensuite le bois des marches, puis ma tête atterrit finalement sur le parquet. En sourdine, j'entendis les cris de quelqu'un. Mon père ? Charles ? Luis ? Nico ? Peu importait. Mes dernières pensées cohérentes furent que mon frère me détestait.

Chapitre XX

Dur réveil

– CHARLES ! m'écriai-je en revenant à moi.

Je tentai de me relever. Une douleur monta le long de ma colonne vertébrale. Des courroies m'immobilisaient, m'empêchant de m'asseoir, et je semblais seule dans cet endroit que je ne connaissais pas. Je m'efforçai de calmer ma respiration saccadée.

J'entendis le bruit d'une porte d'ascenseur qui s'ouvrait. J'observai le rideau à ma droite. Pas de doute, je me trouvais dans une chambre d'hôpital. Je m'agitais pour me dégager quand mon père fit irruption dans la pièce.

– Laurianne, évite de bouger pour le moment.

Il déposa son café sur la table à ma droite et prit place sur la chaise à côté de mon lit.

– Comment tu te sens, ma grande ?

– J'ai mal un peu partout. J'ai quelque chose de cassé ?

– On ne le sait pas encore. Tu as passé des radiographies, mais on attend le médecin pour les résultats et le reste des tests.

– Ça fait longtemps que je dors ?

– Environ une heure.

À ce moment-là, Luis fit son entrée.

– Hé ! Ma belle, tu es réveillée !

Heureuse qu'il soit là, je lui souris faiblement.

– Tu nous as vraiment fait peur ! Tu sais qu'il est toujours préférable de descendre un escalier de face ? essaya-t-il de plaisanter.

Mes yeux se mouillèrent. Je ne pouvais pas effacer de ma mémoire les dernières images de ce qui s'était passé avant que je perde conscience. Mon frère m'avait poussée dans l'escalier. Volontairement, pour me faire mal.

– Où est Charles ?

Mon père détourna les yeux.

– Il était comme fou, commença-il, la voix enrouée par l'émotion. Son regard était si effrayant… et toi, tu étais par terre et on ne savait pas ce… J'ai appelé la police, Lauri. Je leur ai dit que je ne savais plus quoi faire de lui, que j'avais peur que quelqu'un d'autre soit blessé, alors…

– Alors quoi ? Papa, où est mon frère ? le pressai-je, très inquiète.

– Il est dans un centre jeunesse.

Une bombe venait de faire éclater ma famille. Encore une fois. Mon frère, parti ? Mes larmes coulaient sans retenue.

– Ne me regarde pas comme ça, Laurianne ! Je ne savais pas quoi faire d'autre. Il aurait pu te tuer ! Pour le moment, on va se concentrer sur ta santé.

–Je veux voir Charles.

–J'ai parlé avec un intervenant du centre. Il est en isolement parce qu'il est en crise sérieuse. On ne servirait à rien. Chaque chose en son temps, ma grande.

Luis s'approcha et déposa un baiser sur ma tête. Il s'assit lui aussi et me prit la main. Je laissai le temps passer, essayant tant bien que mal de digérer cette information lourde de conséquences.

–Je vais devoir rester attachée à ce lit? demandai-je, pour changer de sujet.

–J'imagine que non si rien n'est brisé. Le médecin voulait être sûr que tu ne bougerais pas jusqu'à ce qu'il ait tout vérifié.

J'entendis le son caractéristique des souliers d'un membre du personnel soignant. Un médecin se présenta devant moi.

–Ah! Notre jeune malade est réveillée! Je peux déjà te confirmer que tu n'as rien de grave à la tête. J'avais quelques questions à te poser avant de procéder à des examens plus poussés. Tu préfères qu'on soit seuls pour la suite?

–Non, ça va. Voici mon père et mon… mon ami. Ils peuvent rester.

–D'accord, répondit-il en vérifiant mes signes vitaux. Tu es enceinte?

–Non.

Plus maintenant, pensai-je.

–As-tu eu des problèmes médicaux dans les deux dernières années?

– Pas vraiment. J'ai eu quelques amygdalites et je crois que c'est tout. Non, en fait, j'ai fait un peu d'anémie, mais ça s'est réglé dans les derniers mois.

Il prit des notes dans son dossier.

– As-tu déjà subi une intervention chirurgicale ou médicale ?

– Non, répondit mon père.

Il m'avait pris de vitesse et j'en étais soulagée. Je n'aurais pas à mentir ouvertement.

– C'est faux, dit cependant une voix derrière lui. Lauri, tu ne peux pas cacher ça à un médecin.

L'urgentologue s'écarta et j'aperçus Nico qui tenait deux cafés dans ses mains. J'avais presque oublié qu'il était présent lorsque Charles m'avait poussée. Qu'était-il venu faire à la maison et de quel droit s'était-il pointé à l'hôpital ?

Lorsque je le vis approcher, mon cœur s'emballa. Je n'avais pas envie que tout le monde sache. Pas ici. Pas de cette manière. Du regard je l'implorai de se taire, mais il ignora ma demande.

– Il y a quelques mois, reprit-il, Lauri s'est fait avorter. Et si je le sais, c'est parce que j'étais avec elle et parce que c'est moi… c'était moi qui…

Il baissa les yeux sans terminer sa phrase. Un silence de mort s'installa.

– Je vais revenir un peu plus tard, s'excusa le médecin en quittant la pièce.

Je regardai mon père, Luis, puis Nico, et ce fut trop dur. Je fermai les yeux, incapable de les affronter. Mais les trois visages étaient imprimés sur mes paupières closes.

Cette nouvelle avait détruit mon père à coup sûr. Sans aucun doute, il se demandait pourquoi il était le dernier à en être informé. Il savait que j'avais traversé une période difficile, mais n'avait manifestement pas deviné jusqu'où cet enfer m'avait entraînée. Il se disait peut-être que Charles et moi n'étions pas si différents après tout.

Luis avait eu l'air de se demander dans quel merdier il avait mis les pieds. Lui qui appréciait les choses simples, il y avait de quoi baisser les bras. Peut-être aurait-il déjà quitté la pièce et ma vie quand j'ouvrirais les yeux.

Et Nico… Je ne savais pas si mon imagination me jouait des tours, mais quand j'avais croisé son regard embué, j'avais cru y lire : « Et je recommencerais n'importe quand si… »

Quelques secondes encore et je serais forcée de m'expliquer. Quelques secondes… pour me réfugier en moi-même, comme si ça arrivait à quelqu'un d'autre. Un, deux, trois, quatre…

Non ! Je n'avais plus envie d'être cette fille qui fuyait constamment, qui ne pensait qu'à elle-même. J'avais déjà fait beaucoup de chemin, je ne pouvais pas m'arrêter ainsi, pas à un moment aussi crucial.

La pièce était étrangement silencieuse. Avaient-ils tous déserté l'endroit ? J'ouvris les yeux, pensant être seule ou avec mon père, mais ce fut Nico que je découvris au pied de mon lit.

– Toi !

– Ton père est allé prendre l'air. Je pense qu'il s'est dit qu'on avait besoin de parler.

– Parler ? m'étouffai-je presque. Tu as vraiment du culot ! Tu ne trouvais pas que ça allait déjà assez mal comme ça ? Il fallait en plus que tu balances mon plus grand secret devant tout le monde ! Où est Luis ?

– Je ne sais pas. Il est parti sans rien dire.

– C'était ça, ton plan pour l'éloigner de moi ? Tu t'es dit qu'il me repousserait s'il savait le lien qui nous unissait ?

– Je n'avais pas de mauvaises intentions, Laurianne.

– Fous le camp ! Sors de ma vie ! Je ne veux plus rien savoir de toi, le congédiai-je en refermant les yeux, mon collier cervical m'empêchant de tourner la tête.

J'ignorais toujours ce qu'il était venu faire ici ce soir et je n'avais plus aucune envie de le savoir. Après quelques secondes, j'entendis ses pas s'éloigner alors que d'autres s'approchaient.

– Tu es prête, jeune fille ? Je viens te chercher pour tes tests, m'annonça un préposé.

❋

Bilan des dégâts : un genou démis, un poignet fracturé et une entorse lombaire. J'avais eu besoin d'analgésiques pour calmer mes douleurs, mais la médication n'avait eu aucun effet sur les souffrances de mon cœur.

J'étais seule lorsque le médecin m'avait informée de mon état. J'en voulais à Nico, mais surtout à moi-même. J'aurais dû révéler la vérité à mon père bien avant et j'étais honteuse de la manière dont il l'avait apprise. La blessure que j'avais aperçue dans son regard me poursuivrait longtemps. J'avais affirmé haut et fort vouloir me battre pour reconstruire ma famille, mais j'avais omis l'essentiel : la confiance.

Au moment où je ne l'attendais plus, mon père apparut dans l'embrasure de la porte. Le soulagement me gagna. Il ne m'avait pas laissée seule dans cet hôpital. J'aurais voulu me lever, courir me jeter dans ses bras pour m'excuser, pour tout lui expliquer, mais mon plâtre au bras et mon attelle à la jambe me l'interdisaient.

Je devrais limiter mes déplacements durant plusieurs semaines, sans compter que je ne pourrais pas écrire de la main droite. Comment allais-je terminer ma session ? Me laisserait-on intégrer les soins infirmiers sans avoir achevé mes cours ?

Je chassai tous ces tracas. Pour le moment, je devais me concentrer sur mon père qui demeurait à distance, le regard triste. Ma gorge se serra.

–Papa, dis-je simplement, la voix chevrotante.

–Comment tu as pu traverser une telle épreuve sans m'en parler ? Tu as si peu confiance en moi, en mon jugement ?

Contente qu'il entre directement dans le vif du sujet, je tentai de remettre de l'ordre dans ses idées.

–S'il te plaît, ne mêle pas tout. Au moment où j'ai découvert que j'étais enceinte, tu étais complètement perdu, papa. Tu n'arrivais même pas à prendre une décision toute simple !

–C'est vrai, j'étais confus après la mort de ta mère, mais tu aurais pu m'en parler ensuite, quand je me suis repris en main ! Tu pensais peut-être me cacher ton avortement toute ta vie ?

–J'y ai pensé.

Cet aveu le chamboula tellement qu'il dut s'asseoir sur une chaise, se rapprochant ainsi de moi.

–Je suis consciente que ce n'était pas la bonne décision, admis-je en lui prenant la main, mais je me trouvais trop stupide et je ne voulais pas te décevoir.

J'étais prête à concéder mes torts, mais mon père n'avait pas été honnête non plus.

–Et toi, tu penses me parler un jour du cancer de maman ? Je ne sais même pas s'il est héréditaire !

Mon père sursauta.

–J'imagine que c'est au centre de cancérologie qu'on t'a parlé des types de cancers ?

J'acquiesçai.

–Écoute, Lauri, on aura l'occasion d'en reparler. Tu es tellement jeune, tu n'as pas à t'en faire avec ça.

–Tu te trompes. J'ai rencontré une patiente à peine plus vieille que moi qui est atteinte du même cancer que sa mère. Elle aussi, elle pensait être trop jeune pour être malade.

Il demeura quelques secondes silencieux.

–Tu as raison, on va devoir vérifier ça très bientôt. Si tu veux, je pourrai t'accompagner dans les démarches.

–Oui, papa, je voudrais bien, lui répondis-je en serrant ses doigts entre les miens.

Il exhala un long soupir avant de se redresser.

–Bon ! Je pense qu'on a eu assez de drames pour une vie entière, tu ne crois pas ? On oublie tout ça pour le moment. L'important, c'est que tu te remettes sur pied. Le médecin m'a dit qu'il signerait ton congé tout à l'heure. Je vais aller à la pharmacie louer des béquilles et je reviens.

–Et Charles ? lançai-je, alors qu'il s'apprêtait à sortir de la pièce.

Mon père s'arrêta sur le seuil et me répondit sans me regarder.

–J'ai parlé à un responsable du centre ce matin. Ton frère s'est calmé, mais il refuse de discuter avec qui que ce soit, même avec moi.

Sur cette dernière phrase, il disparut de ma vue.

Les inquiétudes s'accumulaient. J'ignorais si mes gènes portaient des anomalies. Je n'étais pas sûre de pouvoir reprendre mes cours. J'ignorais aussi ce qui motivait le comportement destructeur de mon frère et ce qui lui arriverait maintenant. Et puis, il y avait Luis... Allait-il revenir? Je m'étais si rapidement attachée à lui que je ne pouvais pas imaginer une fin aussi brusque de notre histoire d'amour.

Un mal de tête menaçait de m'engloutir. Je fermai les yeux. Impossible de régler quoi que ce soit à partir de mon lit d'hôpital.

Mon père reviendrait bientôt pour m'emmener à la maison. Là-bas, je serais forcée de prendre mes responsabilités, de devenir adulte. En attendant, j'avais besoin de quelques minutes. Quelques minutes pour me réfugier à l'intérieur de moi, pour faire comme si cette vie, c'était celle d'une autre.

Un, deux, trois, quatre...

Table

Collection « Ado »

1. *Le Secret d'Anca*, roman, Michel Lavoie.
2. *La Maison douleur et autres histoires de peur*, nouvelles réunies par Claude Bolduc.
3. *La Clairière Bouchard*, roman, Claude Bolduc.
4. *Béquilles noires et flamants roses*, roman, Micheline Gauvin. Épuisé.
5. *La Mission Einstein*, nouvelles, Sophie Martin et Annie Millette. Épuisé.
6. *Vendredi, 18 heures...*, roman, Michel Lavoie.
7. *Le Maître des goules*, roman, Claude Bolduc.
8. *Le Poids du colis*, roman, Christian Martin.
9. *La Fille d'Arianne*, roman, Michel Lavoie.
10. *Masques*, nouvelles, Marie-Ève Lacasse.
11. *La Lettre d'Anca*, roman, Michel Lavoie.
12. *Ah ! aimer...*, nouvelles réunies par Michel Lavoie.
14. *La Liberté des loups*, roman, Richard Blaimert.
15. *Toujours plus haut*, roman, Louis Gosselin.
16. *Le Destin d'Arianne*, roman, Michel Lavoie.
17. *Amélie et la brume*, roman, Jacques Plante.
18. *Laurie*, roman, Danièle Simpson.
19. *Frayeurs d'Halloween*, roman, Anne Prud'homme. Épuisé.
20. *Amitié, dites-vous ?*, nouvelles réunies par Michel Lavoie.
21. *Le Choix d'Anca*, roman, Michel Lavoie.
22. *Trafic au Mexique*, roman, Jacques Plante.
23. *Petites cruautés*, nouvelles réunies par Claude Bolduc.
24. *Deux petits ours au milieu de la tornade*, roman, Francine Allard. Épuisé.
25. *Tempête d'étoile et couleurs de lune*, roman, Louise-Michelle Sauriol.

26. *La Naissance de Marilou*, roman, Richard Blaimert. Épuisé.
27. *La Main de Sirconia*, roman, Claude Bolduc.
28. *Un amour en chair et en os*, roman, Sylvie André.
29. *Le Secret des brumes*, roman, Michel St-Denis.
30. *Projet gicleurs*, roman, Michel Lavoie. Épuisé.
31. *Opération violoncelle*, roman, Micheline Gauvin. Épuisé.
32. *Péchés mignons*, nouvelles, Claude Bolduc.
33. *Mon père, ce salaud!*, roman, Francine Allard.
34. *Les Mémoires interdites*, roman, Ann Lamontagne.
35. *Dragon noir et fleurs de vie*, roman, Louise-Michelle Sauriol.
36. *L'Espion du 307*, roman, Louise-Michelle Sauriol.
37. *Sabaya*, roman, Ann Lamontagne.
38. *Évasions!*, nouvelles, sous la direction de Michel Lavoie. Épuisé.
39. *Une nuit à dormir debout*, roman, Nadya Larouche.
40. *La Rage dans une cage*, roman, Michel Lavoie.
41. *La Nuit de tous les vampires*, roman, Sonia K. Laflamme.
42. *Le Défi*, nouvelles, sous la direction de Michel Lavoie. Épuisé.
43. *La Cible humaine*, roman, Anne Prud'homme.
44. *Le Maître de tous les Maîtres*, roman, Claude Bolduc.
45. *Le Cri du silence*, roman, Francine Allard.
46. *Lettre à Frédéric*, roman, Michel Lavoie.
47. *Philippe avec un grand H*, roman, Guillaume Bourgault.
48. *Le Grand Jaguar*, roman, Sonia K. Laflamme.
49. *La Fille parfaite*, roman, Maryse Dubuc.
50. *Le Journal d'Arianne*, roman, Michel Lavoie.

51. *L'Air bête*, roman, Josée Pelletier.
52. *Le Parfum de la dame aux colliers*, roman, Louise-Michelle Sauriol.
53. *L'Amour !*, nouvelles, sous la direction de Michel Lavoie. Épuisé.
54. *Coup de foudre et autres intempéries*, roman, Josée Pelletier.
55. *Sauve-moi*, roman, Nadya Larouche.
56. *Ma voisine est une vedette*, roman, Maryse Dubuc.
57. *Le Catnappeur*, roman, Sonia K. Laflamme.
58. *L'Enfant du lac Miroir*, roman, Louis Gosselin.
59. *L'Élixir du Trompe-l'œil*, roman, Anne Jutras.
60. *Mensonges !*, nouvelles, sous la direction de Michel Lavoie. Épuisé.
61. *Un cœur en exil*, roman, Josée Pelletier.
62. *Virtuellement vôtre*, collectif, sous la direction de Marie-Andrée Clermont.
63. *La Prophétie de l'Ombre*, roman, Sonia K. Laflamme.
64. *Le Retour d'Anca*, roman, Michel Lavoie.
65. *Vert Avril*, roman, Maryse Dubuc.
66. *Le Souffle de l'étrange*, collectif, sous la direction de Marie-Andrée Clermont.
67. *L'Affaire Saint-Aubin*, roman, Sonia K. Laflamme.
68. *Chronique des enfants de la nébuleuse* I*: Le Château de Céans*, roman, Ann Lamontagne. Épuisé.
69. *Michèle sur le chemin de la lumière*, roman, Lorraine Pelletier.
70. *Entre ciel et terre*, roman, Michel Lavoie.
71. *Cauchemar aveugle*, roman, Fernande D. Lamy.
72. *L'Ombre de l'oubli*, roman, Anne Jutras.
73. *Bye-bye, les parents !*, collectif, sous la direction de Marie-Andrée Clermont.

74. *Cap-aux-Esprits*, roman, Hervé Gagnon.
75. *Là-haut sur la colline*, roman, Claude Bolduc.
76. *Chronique des enfants de la nébuleuse* II *: La Montagne aux illusions*, roman, Ann Lamontagne. Épuisé.
77. *Des vacances dans la tourmente*, roman, Josée Pelletier.
78. *Double croche sur fausse note*, roman, Nadya Larouche.
79. *Nuits d'épouvante*, collectif, sous la direction de Marie-Andrée Clermont.
80. *Pixels*, haïkus, sous la direction d'André Duhaime et Hélène Leclerc.
81. *Chronique des enfants de la nébuleuse III : L'Été de l'Aigle*, roman, Ann Lamontagne. Épuisé.
82. *La Deuxième Vie d'Anaïs*, roman, Sophie Rondeau.
83. *L'Amour bleu*, roman, Michel Lavoie.
84. *Chronique des enfants de la nébuleuse* IV : *La Traversée des ténèbres*, roman, Ann Lamontagne. Épuisé.
85. *Adrénaline*, haïkus, sous la direction d'André Duhaime et Hélène Leclerc.
86. *Cléo arrive au secondaire*, roman, Michel Lavoie.
87. *Slam poésie du Québec*, sous la direction de Pierre Cadieu.
88. *Héros du destin*, collectif, sous la direction de Marie-Andrée Clermont.
89. *Daphné, enfin libre*, roman, Sandra Dussault.
90. *Lili-la-Lune 1 : Papillon de nuit*, roman, Amélie Bibeau.
91. *Vivre*, roman, Dominique Giroux.
92. *Cléo en deuxième secondaire*, roman, Michel Lavoie.

93. *Les Perce-Neige ne fanent jamais*, roman, Sabrina Poulin.
94. *Lili-la-lune 2. Fil de soi*, roman, Amélie Bibeau.
95. *Salut Max !*, roman, Hélène Lavery.
96. *Slam du secondaire*, slam poésie, sous la direction de Michel Lavoie.
97. *Surprise !*, nouvelles, sous la direction de Michel Lavoie.
98. *Course, amour et raviolis*, roman, Sandra Dussault.
99. *30 jours*, roman, Geneviève East et Audrey Julien.
100. *Des étoiles noires dans le cœur*, roman, Michel Lavoie.
101. *Ma sœur est une luciole*, roman, Hélène Lavery.
102. *Lili-la-Lune 3*, roman, Amélie Bibeau.
103. *Slam en toute liberté !*, slam poésie, sous la direction de Michel Lavoie.
104. *Cléo en troisième secondaire*, roman, Michel Lavoie.
105. *En chute libre*, roman, Geneviève East et Audrey Julien.
106. *Tolérance zéro*, roman, Hélène Lavery.
107. *Anges et vengeance*, roman, Claire Daignault.
108. *Une fausse note*, roman, François Giguère.
109. *La Reine Margot*, roman, Michèle Laframboise.

Réalisation des Éditions Vents d'Ouest (1993) inc.
Gatineau
Impression : Imprimerie Gauvin ltée
Gatineau

Achevé d'imprimer en octobre
deux mille quatorze

Imprimé au Canada